KB084282

어느날 문득
잘 살고 싶어졌다

두루 산문집

엎지른 물에 눅눅해진 종이를 말리며

글의 순서

1부   어느날

엎지른 물에 눅눅해진 종이를 말리며
시들어가는 화분을 보며
힘 빼기
고민의 밤들 속에서
나를 똑바로 바라보지 못하지만
도망치는 삶
우울을 보내며
외줄 타기
날씨는 흐림
그냥 쓰는 수밖에
나의 길을 묵묵히
느슨해져 가는 것들
녹슬어버린 마음일지라도
모두의 이름들에게
잠깐 멈추어
게으른 글쓴이

마음의 방을 청소하며
컴퓨터가 자꾸 꺼져서
마음이 힘들 때마다 떡볶이를 먹었다
이대로 사는 게 맞을까
불안을 안고 잠자리에 든다
꿈으로 도망가는 일

2부 문득

사실은 나도 많이 힘들었어
마음을 내어 주는 일
이유를 안고
말에도 모양이 있다면 어떨까요
냉소적인 인간
모래성
관성
모순
관계의 불씨
상실에 대하여
마음의 정원
결이 맞는 사람
도전하는 자의 행복

부끄러운 고백
모래알과 포말
트라우마
나이 들어가면서
언제나 처음과 같을 수는 없겠지만
좋아하는 일을 더 이상 좋아하지 않게 되었을 때
삶을 관통하는 것들
태도에 관하여
그럼에도 사랑할 수밖에 없는 것들
길 위에서

3부 잘 살고 싶어졌다

약하고 강한 것
스스로 껴안아 주는 마음
그것이 사랑일지도
행복에 대하여
좋아하는 계절
욕심
용기 낼 작은 마음들에게
비교의 씨앗
경계에 서서

별것 아닌

꺼져가는 작은 불꽃이라도

사랑해 마지않는 여름이었다

다정함의 총량

보통의 삶

시기와 질투가 꽃을 피웠을 때

우주와 사랑

산타할아버지

아아 주세요

상처에 연고를 바르며

예쁘고 뭉툭하고 반짝이는 마음들

나만의 궤도로

어느 날 문득 잘 살고 싶어졌다

1부

어느 날

엎지른 물에 눅눅해진 종이를 말리며

금방 쏟아질 듯 물이 가득한 잔에 또 물을 붓는 것과 같이 한계에 다다른 마음에 쏟아내듯 괜찮아지라고 자신을 채근하고는 한다. 강해져야겠다는 다짐은 나를 다시 움직이게 하는 동력이 되기도 하지만 부정적인 비난과 자책이 반복되면 결국 무너진다. 마치 엎지른 물에 젖어 눅눅해진 종이처럼 마음은 망가지기 쉬운 취약한 상태가 되어 쉽게 찢어지고 그 형태를 유지하기가 어려워진다. 마음은 종잇장과 같아서 한번 찢어지면 그 본래의 모양을 잃는다. 만약 살짝 구겨진다면 그것이 다소 불완전한 모양일지라도 다시 폈을 때 본래의 모습을 가늠할 수라도 있겠지만 한번 찢어져 버린 종이는 다시 이어 붙일 수도 없고 그 모양을 다시 찾기도 어렵다.

  나는 여태 살면서 얼마나 많은 종이를 적셔왔는지 생각해 본다. 분명 알고 있었는데, 금방이라도 엎어질 물이라는 걸 그 누구보다 잘 알고 있었는데도 나는 그 물을 엎지르고야 말았고 종이를 망가뜨렸다. 눅눅해진 종이는 찢어지기도 하고 구겨지기도 했으며 다시 마르기도 했다. 그 과정은 다르지만 결국 종이들은 자연스럽게 소멸하거나 그 생을 다시 이어갔다. 그런 마음들을 말리며 또 글을 쓴다. 물을 엎지르지 않을 자신은 없으니까 눅눅해진 종이를 잘 말려보기로 한다. 찢어지더라도 덜, 구겨지더라도 다시 펴 볼 수 있게 잘 말려보겠노라 다짐한다.

시들어가는 화분을 보며

나의 방에는 조그마한, 그러나 어느 정도는 자신의 푸르스름한 자태를 뽐내는 그런 화분이 하나 있었다. 처음 타지 생활을 시작할 때는 호기롭게 그와 함께 잘 지내보리라 다짐했고, 한동안은 그럭저럭 잘 지내기도 했다. 내 끼니는 굶더라도 그에게는 충분한 물과 햇빛을 제공했고, 아무리 바빠도 그것을 거르는 일은 없을 정도로 정성을 들였다. 하지만 점차 무거운 삶의 무게에 짓눌려 내 몸 하나 가누지 못할 것 같은 피로감을 안고 회사와 집을 오가며 바쁜 나날을 보내게 되면서 그 화분은 점차 기억에서 잊혀 갔다. 아니, 어쩌면 내 마음에서 그의 자리가 없어져 버린 걸지도 모른다. 그렇게 그는 푸르스름한 빛을 점차 잃어갔다. 초록빛을 띠며 생기가 돌던 잎들은 황갈색으로 변해갔다. 촉촉하던 잎의 얼굴에는 퍼석한 기운만이 감돌 뿐이었다. 어느 날 충격을 받았다. 가만 생각해보니, 그는 그 자리에 늘 있었는데 변한 건 나였다. 그의 빛은 늘 방을 밝게 비춰주고 있었으나 나는 빛을 잃어갔고 그 어둠이 그의 빛마저 앗아갔다.

관심.

그가 필요했던 건 작은 관심이었을 것이다. 아주 거창한 것이 아닌 그저 작은 돌봄. 볕이 잘 드는 곳에 두고 자주 물을 주고 바라봐주는 것만으로도 그는 어느 정도 삶을 지속할 수 있었을 것이다. 그동안 바쁘다는 핑계로 곁의 소중한 것들을 놓쳐버린 것은 아닐까.

　지금, 이 순간에도 놓치고, 놓아버리고 있는 것들이 어쩌면 누군가에게는 아주 커다란 세계일지도 모른다. 그의 삶에서 중요하고 큰, 없어서는 안 될 소중한 마음일 수도 있다. 쉬이 흘려버린 이 시간에도 우주를 떠돌며 간절하게 구조의 손길을 기다리고 있을지도 모른다. 마치 시들어가는 조그마한 화분이 외롭게 그 자리에서 기다리며 그토록 관심을 바랐던 것처럼.

힘 빼기

부족함을 채우려는 조급한 마음은 되려 일을 그르치고, 쓸데없는 자존심을 부리는 경솔한 태도는 나의 인격을 더욱 축소시킨다. 나는 실감한다. 팽창한 적도 없지만, 자꾸만 쪼그라들다가 어느새 사라질지도 모른다는 불안감에 떨며 오늘을 살아내는 아주 조그만 존재에 불과하다는 것을. 조금 더 힘을 빼고 솔직하고 담백하게 해보자. 힘을 줘도 불쑥 힘이 솟아날 만큼 힘이 세지도 않고 특출하게 잘 쓰는 사람도, 좋은 사람도 아니다. 그저 나약한 인간일 뿐이고 미약한 에너지로 살아갈 방법을 끊임없이 고민하고 살아가기 위해 발버둥 치고 있는 한 존재에 불과하다는 것을 늘 기억하자.

힘을 빼니 불안이 덜하다. 그러자 주변이 보이고 귀가 조금씩 열린다. 귀가 열리니 들리고 그제야 제정신이 든다. 나의 태도를 돌아보고 마음을 들여다본다. 그동안 생략했던, 나를 알고 이해하는 과정을 천천히 실행한다. 나는 얼마나 무모했나. 결과보다 과정에 충실해야겠다고 다시금 다짐한다. 힘을 조금 빼고 더 과정에 애정을 쏟아야지.

반성으로 시작한 하루는 또 반성으로 끝이 난다.

고민의 밤들 속에서

까만 밤 속,
까만 잉크와 까만 생각들을 수놓는 동안
쉴 새 없이 움직이는 까만 눈동자
그 사이를 부유하는 수많은 고민
나는 어떤 결말을 향하려고 했을까
어딜 향하려고 이리 뛰어왔을까

과정 없는 결말은
실없는 농담과 같이 휘발할 운명
과거로부터 배우고, 미래를 그리는 동안

현재는 까맣게 타들어 가는데
하얀 종이 위, 가득 새까만 고민 늘어만 간다

새까만 밤들 속에서 얻은 건
어쩌면 타들어 간 현재의 잔해
그 속에 하얀 마음.
아직 남아있을지도 모르는
아주 조그만 희망과 꿈같은 것들
그래도 희미한 빛을 머금은 것들

나를 똑바로 바라보지 못하지만

나는 왜 나를 똑바로 바라보지 못하는 걸까.

서른이 넘도록 나 자신을 사랑하는 방법을 잘 모르고 헤매인다. 너무 바보 같다. 밉고 못나고 실수투성이의 철없는 어른. 그것이 내가 바라보는 내 모습이자 곧 타인에게 비친다고 생각하는 나의 모습. 내가 부정하는 진실한 나는 어떤 모습일까.

어릴 적 천진난만하던 아이는 훌쩍 자라 떠밀리듯 그럴듯한 어른이 되어야만 했고 거친 사회에 적응해야만 했기에 두려운 마음이 들어도 잘 숨기며 아닌척을 해야만 했다. 더욱 강해져야만 했던 시간들 속에서 자신을 옥죄며 속절없이 몸과 마음이 늙어간 자신을 향한 책망과 연민의 마음들. 그 벽에 가로막혀 나를 온전히 바라보지 못하는 것은 어쩌면 당연한 일일지도 모른다.

서른의 중반을 향해가는 지금, 여전히 내 모습이 어떤지 잘 알지는 못한다. 그러나 끊임없이 자신을 사랑하기 위해서 깊은 내면의 마음의 소리에 더욱 귀기울이고 들여다보려고 노력한다. 살아가는 동안 나를 가장 이해해 줄 수 있는 것은 나뿐임을 잘 알기에, 사랑해 줄 수 있는 것도, 보듬어줄 수 있는 것도 결국에는 나이기에. 나는, 나에게 가장 다정한 사람이 되어주기로 한다. 내가 나일 수 있게 늘 응원해주기로 한다.

오롯이 나일 수 없었던 삶의 가운데 격동의 한 해를 또 잘 견뎌주어서 고맙다고, 또 많이 사랑한다고 나 자신에게 말해주고 싶다.

도망치는 삶

오늘, 무작정 회사를 쉬었다. 꾀병으로는 입사 이후 처음이었다. 새벽 내내 구토와 설사를 했다는 얼토당토않은 이유를 댔다. 거짓말을 좋아하는 편이 아닌데 도저히 침대에서 몸을 일으킬 자신이 없었다. 차라리 거짓말을 하고 이불 속으로 숨는 편이 더 마음이 나을 것 같았다.

어제는 회사에서 오랜만에 공황을 겪었다. 식은 땀과 함께 곧 쓰러지고야 말 것 같은 기분. 당장 이

곳에서 도망쳐야 한다고 생각했다. 공황이 올 때면 숨을 쉬어야 한다는 사실도 잊어버리기 때문에 의도적으로 공기를 들이켜지 않으면 숨을 쉴 수가 없다. 얼른 자리를 떠 휴게실로 향했다. 한참을 숨을 쉬는데 집중했다. 빠르게 뛰는 심장박동을 주체할 방법이 딱히 없었기에 우선 그대로 두었다. 몇 번의 심호흡을 거쳐 안정을 취했다. 나는 지금 아프다는 것을 그대로 느끼고 받아들인다. 자연스러운 거라고. 도망쳐도 괜찮다고. 스스로 다독인다. 일이 많이 밀려 있어 늦게 퇴근하려고 했지만 조금 안정된 틈을 타 짐을 챙겨 회사를 나섰다.

어제에 이어 오늘도 또 도망치고 말았다. 나를 괴롭히는 현실에서 나를, 나의 마음을 지키기 위해서 전력을 다해 멀리 달아났다. 내 일상의 중심부인 회사에서 내 마음을 잠시 떼어내야만 했다. 그래야만 살 수 있을 것만 같았다. 도망친 곳에는 든든한 버팀목이 버티고 서있었다. 내 안부를 물어주고 아픔을 묵묵히 들어주고 손을 내밀어주는 소중한 사람. 한

결 숨쉬기가 나아졌다. 도망친 곳에서 나의 도망을 이해해주는 사람으로 인해 다시 삶의 균형을 맞출 수 있었다. 난파 위기의 배가 거친 파도를 피해 도망쳐 겨우 뭍에 다다라서야 비로소 안전하게 정박할 수 있었다. 이처럼 나의 삶은 도망의 연속이었다.

이젠 지긋지긋한 도망치는 삶으로부터 도망치고 싶었다. 비겁하게 고통의 순간을 피해 달아나는 삶을 그만두고 당당히 맞서 싸우고 싶었다. 자신의 일은 혼자 견뎌내고 투쟁해서 이겨내고 싶었다. 그러나, 그것은 오로지 나의 오만이자 착각이었다. 혼자 해낼 수 있는 건 적어도 내가 살아가는 이 세계에서는 그리 많지 않았다. 결국 많은 일들이 누군가의 도움이 필요했다. 나약한 나는 사실 혼자 살고 싶다고 크게 외치면서도 내 마음을 구해줄 누군가에게 도움을 청하고 있었던 걸지도 모른다. 나의 도망을 있는 그대로 바라봐주고 함께 도망쳐 줄 수 있는 그런 사람에게, 들리지 않는 소리로.

나는 아직도 종종 도망을 친다. 숨을 쉬기 어렵거나 식은땀이 나기도 한다. 피할 수 없는 공황이 찾아오면 당황하기도 한다. 그러나 나는 이 도망치는 삶도 있는 그대로 받아들이고자 한다. 도망치는 게 나쁜 건 아니니까. 또다시 내 자리로 돌아와 마음을 잘 다스리고 앞으로 한 발 내디딜 나를 응원하며 오늘도 도망치는 삶을 지속한다.

우울을 보내며

요즘은 점심을 먹고 건물 밖을 나와 잠깐 걷고 바람과 햇볕을 온몸으로 맞고는 한다.

많은 시간을 갇혀있던 사무실이라는 폐쇄된 공간에서 건물 바깥의 공간으로의 이동이 사실은 그리 어려운 일이 아니었음에도, 이 짧은 거리조차도 나에게 허락하지 않았다. 회사를 쉬고 막 돌아왔을 때는 한동안 점심조차 먹으러 식당에 가지 않았다. 아침에 받은 김밥과 음료로 대충 점심을 때우고는 사람들과의 접촉을 최대한 피해 다녔다. 아직 아물지 않은 마음은 작은 자극에도 쉽게 요동쳤고 깨지고 무너지고 마는 나를 지키기 위해 나는 최소한의 생존을 위한 욕구조차도 거부했었다. 당장 음식보다도 내 마음의 상처가 더 중요했으니까. 그렇게 사회로의 복귀는 어설프게 다시 시작되었다.

지금은 회사를 쉬기 전과는 많은 것이 변했다. 전력을 다했던 회사생활을 내려놓기 시작했을 때, 그 참담했던 무기력, 좌절, 자괴감과 같은 것들은 이제 무뎌졌다. 그저 내 마음이 안전하기만을 바랄 뿐이다. 오늘 하루는 무사히 지나가기를. 그 어떤 자극에도 조금만 흔들리기를. 하루에도 수십 번 자신을 다독이며 시계를 바라본다. 달리지 않는 시간을 괜스레 등 떠밀어 재촉해본다. 마음처럼 시간은 빨리 달려주진 않지만, 그래도 괜찮다. 느린 시간만큼 마음도 천천히 회복하고 있다고 믿기에.

나를 갉아먹는 시간을 인고하며 버텨온 나날들이 절대 헛되지 않았음을 믿으며 살아가야겠다. 사무실에서 바깥을 나섰던 것처럼, 그 짧은 거리를 천천히 걸어 나가는 마음으로 오늘의 발걸음을 내일로 내딛고 조금 더 나를 다독이고 옮겨야겠다.

외줄 타기

마음이 자주 출렁인다. 낭떠러지 위 아슬하게 외줄을 타듯 생각은 위태로운 줄타기를 한다. 하루에도 수십 번 이만 내려올까 고민하지만 이미 올라선 줄 위에서 다시 출발점으로 돌아가는 것도, 앞으로 나아가는 것도 뭐 하나 쉽지 않다. 홀로 나서는 외로운 여정의 가운데, 몰아치는 거센 바람에 흔들리는 외줄에 의지한 채 이러지도 저러지도 못하는 마음은 애처롭다. 이 줄이 나를 어디로 향하게 하는지 잘 모르지만, 그렇다고 쉽사리 놓을 수도 없다. 여태 걸어왔던 길이 힘들어도 어쩔 방도 없이 다시 걸어가야 할 나의 길이기 때문에. 다시 묵묵히 외줄을 탄다.

이 줄의 끝에는 무엇이 있을까. 희망은 어서 오라며 유혹하지만, 도착점은 닿을 듯하면서도 한 발짝 멀어지고 금세 지치고 괴롭다. 외줄에 의지한 체 버티고 서 있는 이 가여운 마음을 가눌 길이 없다. 끝이 있기는 한 걸까. 영영 줄에 의지한 채 위태로운 외줄 타기 인생이 반복되는 것일까.

한 치 앞도 바라볼 수 없는 이 여정은 계속될 것이다. 그러나 한 가지 중요한 사실은 잊지 않기로 한다. 내가 의지하고 있는 이 줄이라도 이곳에 존재한다는 것. 낭떠러지로 떨어지지 않을 만큼 단단하고, 가끔 기대어 쉬어갈 만큼 적당히 느슨한 줄이 있다는 것. 남은 삶의 여정에서 애처롭게 의지해야 할 외줄이라도 잡고 앞으로 나아갈 수 있다는 것에 감사하기로.

날씨는 흐림

　　일주일 동안 참 흐렸다. 날씨는 참 억울하겠다. 사실 날씨는 대부분 맑았으니까. 날씨와 상관없이 흐렸던 건 내 마음이었다. 따스한 봄날에 어울리지 않게 얼어붙은 가슴은 시리다 못해, 똑똑 두드리면 쩌-억하고 곧 갈라질 듯했다. 긴 겨울을 지나 봄이 왔건만 내 안의 봄은 아직이었다. 사계절의 봄은 기다리면 오는데 마음의 봄은 언제 오려나.

회사를 쉬고 있다. 행복하지 않았기 때문에. 아니, 그보다 불행했기 때문이라고 하는 게 맞겠다. 더이상 돈을 버는 행위 자체가 나에게는 살아가는 동력이 되지 못했다. 그래, 살기 위해서는. 잘 살기 위해서는 돈을 벌어야 한다. 모두가 그렇게 산다고 했다. 돈을 버는 일에서 행복을 찾는 게 아니라고 했다. 일은 그저 일일 뿐 즐거움은 밖에서 찾는 거라고. 수없이 반복해도 익숙해지지 않았다. 오히려 곱씹을수록 질기고 고약한 맛만 날 뿐이었다. 그래서 회사를 쉬기로 했다. 아니, 잠깐 불행을 쉬어가기로 했다.

불행을 쉬어가는 것이 앞으로 행복할 수 있는 방법일지는 모른다. 다만 확실한 것은, 이것이 마땅히 행복해야 할, 그동안 참 고생했던 나에 대한 최소한의 구조이자 보살핌이다. 흐린 날씨에 내리는 비를 피할 우산이자 비를 피할 나무 같은 것이다. 흠뻑 젖은 나를 돌보아 주는 일. 그저, 그런 일인 것이다.

오늘 아침도 흐렸다. 그러나 이내 거짓말처럼 맑아지더니 이젠 햇볕이 뜨겁다. 살결을 스치던 차가웠던 공기도, 눅눅한 빗물의 습기도, 촉촉했던 바닥도 언제 그랬냐는 듯 맑은 날의 옷으로 갈아입었다. 나도 날씨처럼 무겁고 눅눅한 옷을 갈아입고 마음에 햇살을 내리쬘 수 있을까. 길고 긴 장마에서 벗어나 맑은 하늘을 바라볼 수 있을까. 따스한 봄을 마음껏 만끽할 수 있을까.

그냥 쓰는 수밖에

흰 백지에 깜빡이는 커서를 보고 있자면 눈을 꼭 감고 현실을 부정하곤 한다. 피할 수 있으면 피하고만 싶다. 내가 과연 그럴듯한 글을 써낼 수 있을지 겁이 나고 잘 마무리 할 수 있을지 두렵기도 하다. 사실, 안 하고 싶으면 피하면 그만인데 또 그건 자존심이 허락하지 않는다. 얼마 없는 알량한 자존심일지라도 이럴 땐 불쑥 등장해 피곤하게 한다. 그래도 할 줄 아는 게 이것뿐인데 해봐야지 하고 중얼거린다.

19년도 말쯤, 가장 힘들 때 펜을 들었다. 숨이 꼴깍 넘어가기 직전이었다. 당시 주변 사람들은 회사 생활에 지쳐 방황하는 내게 글을 한 번 써보라는 이야기를 많이 해주었다. 처음에는 그 소리가 참 허무맹랑한 소리라고 생각했다. 평소 책도 잘 안 읽으면서 글을 쓴다는 사실이 웃겼다. 내가 뭐라고 글을 쓰나 싶었다. 글이란 것은 감히 넘볼 수 없는 영역의 것이었다. 굴곡지고 구불구불한 인생길을 지나오며 고결한 생각과 통찰을 통해 삶을 넓게 이해하고 나아가 그것을 하나의 글, 작품으로 빚어내는 일은 상상할 수 없는, 범접할 수 없는 먼 존재와도 같았다. 그런데 그런 글을, 가장 힘든 날에 한 장의 일기로 쓰기 시작했다.

그날은 유난히도 힘든 날이었다. 사무실에 앉아 있지만 넋은 이미 나가 있었다. 하루하루 밀린 업무를 쳐내는 일상. 높은 강도를 필요로 하는 일. 사람을 닦달하고 쏘아붙여야 하는 일. 촌각을 다투고 큰 금액의 가치를 지닌 일. 그만큼 큰 책임이 있어야 하는 업무들이 쉴 새 없이 몰아쳤다. 심장이 금방이라도 가슴을 뚫고 튀어나올 듯 쿵쾅대고 앞머리가 젖을 만큼 식은땀이 났다. 도저히 버틸 수 없을 것만 같았다. 당장이라도 사무실을 뛰쳐나가 주저앉고 싶었다. 그러나 나는 나 자신이 자리를 비우는 것조차 허락하지 않았다. 용납할 수가 없었다. 무너지는 것은 곧 내가 약하다는 것을 인정하는 꼴이라고 생각했다. 그것을 인정하는 순간 정말 약한 존재가 되어버린다고 생각했다. 무력하게 마음에 생채기 내는 것을 순순히 받아들이는, 아니 오히려 마음을 꺼내어 드러내 가장 상처 받기 쉬운 상태가 되는 것만 같았다. 그래서, 그래서 버티고 또 버텼다. 가혹하게 자신을 몰아세워 세상에 잘, 빨리 적응하기만을 바랐다. 하지만 사실은 그 어느 때보다 숨고 싶었다. 세상에 한 발 내딛을수록 두 걸음 뒤로 도망가고 싶었다. 밖을 나서려 할수록 더 고립되었고 힘들다고 외치려고 입을 뻐끔거렸으나 아무 소리도 내지 못했다. 속으로 하지 못한 이야기가 곪아 터지고 낫지 않는 상처가 깊어졌다. 그럴듯한 위로가 더는 들리지 않았다. 마치 고장 난 기계처럼 제대로 작동하지 않는 것만 같았다.

그때서야 내면의 소리에 귀를 기울였다. 퇴근길에 문방구에 들러 글을 쓰기 위한 몇 가지 물품들을 샀다. 연필, 지우개, 펜, 연필깎이, 노트. 그냥 홀린 듯 무작정 골라 담았다. 집에 돌아와 대충 옷을 갈아입고 엎드려 노트를 폈다. 막막했다. 자꾸 어이가 없어 웃음만 났다. 지금 뭐 하는 거지. 기가 찼다. 그렇게 글을 쓰기 시작했다. 아니 끄적이기 시작했다. 글이 뭔지도 잘 모르면서. 그렇게 나를 있는 그대로 인정하는 것. 내 상태를 면밀히 바라봐주고 받아들이는 것. 그것이 내 인생을, 나를 온전히 보듬어 주는 일의 시작이었다. 부정했던 나를 인정하고 힘들었던 나를 있는 그대로 받아들인 순간의 글쓰기는 단어의 나열 그 이상 그 이하도 아니었지만.

그 누구도 방해하지 않는 공간에서 나 자신과 대화를 나누는 일은 큰 충격이었다. 그동안 미뤄왔던 숙제를 하는 기분이었다. 망가져 가는 내게 괜찮다고 지금 모습도 그럭저럭 봐줄 만하다고, 지금까지 잘 해왔다고 너의 잘못은 없다고. 종이 위로 툭 던지는 위로에 퍽 애처로워 눈물이 왈칵 났다. 감정이 메말라버린 줄만 알았는데, 어떤 사소한 감정조차 느끼는 것이 괴로워 삶에서 제거해버린 줄 알았는데 일순간 꼭꼭 숨겨두었던 감정들이 터져 나왔다. 글을 쓰는 순간은 갇혀있던 마음들이 쏟아져 나오는 것 같았다.

그렇게 그냥 써왔다. 아직도 글이 뭔지는 잘 모르겠지만 그래도 한 가지 확실한 것은 글을 쓰는 동안은 진정 나를 안아주는 것 같다는 것이다. 보이고 싶은, 보여야만 하는, 되고 싶은, 되어야만 하는 모습이 아닌 있는 그대로 바라보는 과정. 마음을 다스리고 돌보아주는 치유의 과정이라는 사실. 그것만은 확실히 알 수 있다.

가끔은 글쓰기가 즐겁지만은 않을 때도 있다. 나와 마주하고 끊임없이 불편한 질문들을 스스로 던지고 해답을 찾아가는 과정이 유쾌하지만은 않을 때가 많다. 떠올리면 괴롭고 괴로우면 또 숨고 싶다. 그러나 끊임없이 써야 한다. 이제는 할 수밖에 없는 일이 되어 버린 것이다. 글쓰기는 나를 다독이고 다시 등을 떠밀어 앞으로 나아가게 한다. 그래서 또 쓴다. 피하고 싶어도 또 펜을 든다. 나를 위해 해줄 수 있는 유일한 위로이자 성찰. 쓰는 일은 내가 나일 수 있게 하는 삶의 이유이자, 이유 있는 삶을 살게 하는 자신과의 약속이다.

나의 길을 묵묵히

서두르다가 일을 그르치거나 만족스러운 결과를 얻지 못했던 적이 많다. 저만치 멀리 달아나는 이를 바라보며 서둘러 가려다 넘어지거나 방황하기도 했다. 그러나 사실은 모두가 저마다의 속도로, 가장 최선의 선택을 하며 성실히 나아가고 있을 텐데, 나는 그들을 보며 부러워하고 시샘하며 질투했다. 발밑의 흙탕물에 젖은 발을 바라보며 불평불만 섞인 외마디 비명을 질러대며 그들의 역경과 고난에 대해서는 모른 체 했다. 그러나 바로 이런 마음이 나 자신을 더욱 비참하고 불쌍하게 만들고 있다는 것을 이내 깨닫는다. 그 누구도 나를 직접적으로 비난하거나 손가락질하지 않았음에도 스스로 흙탕물로 뛰어들었다.

나는 나의 속도로 가야 한다. 거센 강물을 거슬러 올라가듯 사회에 뛰어든 순간부터 그 길이 한순간도 쉬운 적이 없었다. 스스로 채근하며 거친 물살에도 적응하고 나아가라며 등을 떠밀고는 했다. 그러나 나만의 속도를 잃고 타인의 속도에 맞춰 서두르다 보면 노를 놓쳐버린 배에 올라탄 것처럼 흔들리고 방향을 잃고 황망하게 강물 위를 표류하게 될지도 모른다.

그러므로 나만의 속도로 나아가기로 한다. 남들에게 뒤처지고 있는 것 같아 초라해 보이고 지치더라도 그것이 나의 잘못이 아님을 늘 기억한다. 모두 각자의 자리에서 최선을 다해 제 속도에 맞춰 나아가고 있을 뿐이라는 것임을 상기한다. 나는 그저 묵묵히 나의 길을 걸어가면 되는 것이다.

자꾸 비교되고 쓸모없다고 느껴져 많이 힘들 때도 있다. 그럴 때는 자꾸 현 상황을 점검하고 속도를 확인한다. 괜히 서두르고 있진 않은지, 나를 책망하고 부정적인 판단을 하고 있지는 않은지, 자신을 채근하느라 일을 그르치진 않았는지 반복해서 돌아본다. 그리고 다시 묵묵히 서두르지 않고 가야 할 길을 바라본다.

다시 마음을 다잡고 나만의 속도로 또 거센 강물을 거슬러 올라간다. 노를 두 손에 꽉 쥔 채로.

느슨해져 가는 것들

한동안은 술에 취하지 않으면 잠자리에 들지 못했다. 현실이 술보다 더 지독했던 것 같다. 술의 힘을 빌리지 않으면 도저히 맨정신으로 눈을 감을 수가 없었다.

취업을 준비할 때가 그랬다. 오전에 스터디를 마치면 곧장 도서관으로 가서 너른 테이블에 자리를 잡았다. 도서관의 책상은 독서실과는 다르게 넓어서 좋았다. 또 가장 높은 5층에 자리해서 사람들의 왕래도 그리 잦지도 않았고. 그 후 도서관이 닫을 때까지 앉아 있었다. 인·적성, 면접 등에 필요한 지식을 가득 머릿속에 집어넣었다. 그렇게 하루 대부분을 도서관에서 보내고는 학교 앞 자취방을 향하면서 스터디를 함께 하는 형과 저녁 겸 반주를 했다. 딱히 할 이야기가 있어서는 아니었다. 마치 귀가 전 꼭 치러야 하는 의식처럼, 저녁을 먹는 자리에서 술을 시키는 일은 자연스러웠다. 그렇게 각 1병씩을 먹고서야 집으로 돌아갔다. 그제야 피로한 몸을 아무렇게나 펴진 이불 위로 던지곤 했다.

회사에 와서는 또 한동안 지독하게도 술을 먹었다. 겨우 취직한 회사는 내게는 아주 고역이었다. 마치 내가 있어서는 안 되는 곳에 있는 것만 같았고 모두에게 피해를 주고 있는 것만 같았다. 일머리가 없고 잘할 줄 아는 것 없던 내가, 이곳에서 살아남기란 퍽 어려웠다. 늘 좌절했고 자책했다. 자신감을 잃었고 자존감은 바닥이 났다. 도망칠 곳이 있다면 언제든 도망치고 싶었다. 그러나 이곳에서도 살아남지 못하는 인간이 도망칠 곳은 그리 많지 않았다. 아니 그럴 용기도 없었다. 도망도 용기 있는 자만이 영유할 수 있는 특권이라는 생각이 들었다. 그렇게 하루하루를 술에 의존하며 살았다.

때때로 술에서 벗어나기도 했다. 불안이 심해질 때쯤 머리가 자꾸 아팠다. 약을 먹으면서 버텼지만, 그것도 잠시뿐, 지끈거리는 머리를 부여잡고 도저히 일에 집중할 수가 없었다. 그러면서 하나둘씩 끊어갔던 것 같다. 술을 시작으로 커피도 멀리했다. 물질적인 것에서 멀어진 다음에는 마음에서 하나둘 떠나보냈다. 먼저, 자연스럽게 곁에 있던 관계가 멀어졌다. 동기, 후배, 선배, 친구들과 멀어졌다. 머리를 아프게 하고 불안하게 만드는 것들로부터 자꾸만 멀어졌다. 그렇게 자르고 잘라내다 보니 어느덧 곁에는 아무것도 남지 않게 되었다. 술에 의존하던 나는 그 어떤 것에도 의존하지 못하게 되었다.

삶은 어쩌면 소중했던 것으로부터 자꾸만 멀어져 가는 연습의 반복인 것만 같다. 없으면 잠들 수조차 없었던 술로부터, 그리고 관계로부터. 한때는 내 삶을 이루었던 중요한 부분들의 결속이 서로 느슨해지고 이내 끊어져 버린다. 그럼에도 하나둘씩 다시 떠나가는 것들을 붙잡아 본다. 우울과 불안을 끌어안고 자꾸만 멀어졌던 관계를, 술을, 좋아하는 것들을 자꾸만 되찾아가려고 노력한다. 그동안 참 외로웠던 내가, 느슨해져 곁을 떠나가는 것들을 자꾸만 붙잡아 가는 것을 게을리할 수는 없다.

사실은 술은 핑계였다. 곁의 사람과 함께할 구실이 필요했음을 이제는 안다. 많은 것을 깨달아가는 외로운 나날들 속, 느슨해진 관계의 끈을 다시 강하게 붙잡아 본다.

녹슬어버린 마음일지라도

언젠가부터 마음이 마음처럼 잘 움직이지 않을
때가 있다. 관계도 사랑도 행복도 다 잘 해낼 수 있
을 줄 알았는데, 살아내는 일에 몰두해 자꾸만 그 우
선순위가 밀린다. 마치 녹슬어버린 것처럼 마음이
자꾸 삐걱댄다.

그래도 자꾸만 기름칠하고 움직여야 한다. 마음
은 자꾸 돌보아줄수록 부드럽게 작동하기 때문이다.
관계에도 사랑에도 행복에도, 마음이 움직이는 것에

는 관심과 애정이 필요하다. 이미 녹슬어버린 마음
일지라도 자꾸만 기름칠하고 관심을 쏟는다면 마음
은 부드럽고 섬세하게 마음처럼 잘 움직여 줄 것이
다.

모두의 이름들에게

내가 스쳐왔던 이름들에 맺힌
예쁜 의미들이 모여 날 피우고
그 무게가, 그 향이, 그 깊이가
오롯이 배어 비로소 내가 된다

결코 혼자 피는 꽃은 없어
나도 혼자 해내진 못한다는 것을
늘 기억하고 갚아 나가야지

나에게 기꺼이 와준
물과 흙 그리고 빛
모두의 이름들에게

잠깐 멈추어

잠깐 놓아도 괜찮다.

불안한 마음은 잠깐 쉬어도 좋다.

멈추어가도 세상은 멈추지 않는다.

    감당할 수 없는 불안과 우울이 심해지면서 자주 마음을 다독인다. 도저히 회사를 제대로 다닐 수가 없어 쉬기 시작하면서부터 주문처럼 외웠던 것 같다. 괜찮다고, 잠깐 쉬어도 괜찮다고, 너무 불안해하지 않아도 된다고. 그저 잠깐 쉬는 것뿐이라고. 이 세상이 멈추는 것은 아니라고.

보잘것없지만 내가 구축하고 있는 작은 세계는 곧 나의 전부였다. 돈벌이를 위한 회사와 내 몸 뉠 집, 사랑스러운 고양이. 나를 이루는 많은 요소 가운데 나를 제외하고 대부분이 안정적이었다. 나만 참으면 모두가 행복했다. 그런 내게 잠깐 멈추는 것은 세상의 종말이었다. 그런데 잠깐 멈추어 쉬어가라니. 도저히 납득할 수 없었다.

돌이켜보면 나는 부단히도 타인의 시선을 신경 쓰며 살았다. 밥을 먹을 때도 옷을 고를 때에도, 심지어 진로를 결정할 때조차도 누군가의 길을 따라 걸었다. 훗날 이런 삶의 태도는 나의 세계를 이루는 토대가 되었다. 무슨 일이든 그 세계의 법을 따랐다. 그러나 서글프게도 이 세계는 구축되면서 동시에 붕괴되고 있었다. 내 것은 없고 모든 것이 타인에게 맞춰져 버린 세계는 빛을 잃고 어둠만이 가득했다.

결국 잠깐 멈추어가기로 했다. 맞지 않는 회사, 삐걱대는 관계, 불안정한 가족으로부터 잠시 나를 떼어냈다. 안고 있던 많은 것을 놓았다. 돈과 욕심, 자존심, 즐거움, 내 곁을 머무르던 많은 것들을 하나둘 포기했다. 오롯이 마음이 외치는 말에 귀 기울였다. 스스로 괴롭힘을 멈추고 잘 살펴 보듬어 주기 시작했다.

그 이후로도 세계는 망하지 않았고 곧 나에게 맞는 구조를 갖추어 갔으며 흔들렸지만 견고해졌다. 마음먹은 일을 할 용기를 주었고 보고 싶은 사람을 볼 여유를 주었으며 한 세계를 잘 다스릴 책임감을 주었다. 모든 변화는 잠깐 멈추었기에 일어났다.

지금은 멈추어 가는 일이 익숙해졌다. 마음이 좀 쉬자고 하면 과감히 쉬어간다. 요즘은 쉬면서도 마음을 타이르며 잠깐 나아가는 법도 배운다. 천천히 걸으면서 때로는 잠깐 달리기도 해본다. 쉼으로 더 앞으로 나아갈 추진력을 얻는다.

멈춘다고 해서 결코 돌아서는 일이 아니다. 나와 주변을 돌아보고 앞으로 나아갈 길을 정돈하는 것뿐이다. 쉬어가는 동안 세상이 흔들릴지언정 무너지진 않을 것이다. 애쓴 만큼 쉬어가도 괜찮다.

게으른 글쓴이

　나의 2020년은 우울과 자기 연민, 도피와 같은 부정적인 것들로 가득했다. 곧 밟히기 직전의 꼬리처럼 아주 찰싹 붙어서 자꾸 털어내도 지긋지긋하게 나를 괴롭혔던 우울은 쉽게 낫지 않는 깊은 상흔을 남겼다. 웃음을 잃었고 관계를 잃었으며 결국에는 나를 지웠다. 지독한 우울은 나에게서 많은 것을 앗아갔다. 그럼에도 불구하고 꾸준히 기록하고 남기는 일은 게을리하지는 않았다. 아니 솔직히 포기하고 싶은 순간도 있었지만 그래도 내 인생 무엇 하나

이만큼 열정을 가지고 한 것이 있었나 하며 붙잡고 늘어졌다. 그러다 보니 자꾸 쓰게 되고 또 읽게 되고 더 많이 듣고 배우고 느끼게 된다. 사실은 나를 살게 했던 것이 바로 글쓰기였다.

새로운 2021년의 해가 밝았다. 여전히 쓰고 읽고 듣고 느끼고 배운다. 누구보다도 부족함을 잘 알기에 더욱 그만큼 더 배우는 자세로 쓴다. 인생을 배우고 겸손을 배우고 … 나열하자면 끝도 없는 배울 것들은 끊임없이 나를 부끄럽게 한다. 삶은 어쩌면 곁에 선생님 한 분 모셔두고 지겹도록 배워나가는 과정이 아닐까.

지금은 일단 글이 선생님이다. 학창 시절 그렇게 착실한 학생은 아니었는데 이제야 제대로 배움의 자세를 갖추고 공부를 한다. 하라고 해서 억지로 했던 공부를 이제는 누가 시키지 않아도 하고 있다. 좋아하는 작가님의 책을 찾아서 읽고 직접 만나기도 하고 강연을 듣기도 하고 온라인 강의를 보기도 한다. 글을 어떻게 쓰는 건지 도대체 알 수가 없어서.

어느덧 2021년, 추운 겨울이 가고 따사로운 햇볕이 피부를 감싸는 삼월의 끝자락에 있다. 연초에 그럴듯한 계획을 여럿 세웠던 낯선 모습의 나를 뒤로하고 야속한 시간은 또 훌쩍 가버렸지만 그래도 괜찮다고 애써 마음을 토닥인다.

서른이 되었던 해부터는 이십 대와 그 시간의 속도가 몇 배는 빨라진 느낌이다. 그럴수록 더욱 쓰는 일을 게을리할 수가 없다. 글을 쓰는 행위는 삶을 야속한 시간의 흐름에 꿰맞추는 일이 될 것이라고 믿기 때문이다. 쓰기 전의 삶은 시간 속에서 그저 기억과 추억으로 남아 연기처럼 희미해졌지만 쓰기 시작한 후의 삶은 먼 훗날 곱씹어 볼 만한 삶의 한 조각으로 남았다. 그래서 자꾸만 발자취를 남긴다. 서툰 감성일지라도 마음을 다해 써본다. 곁에 두고 자꾸만 어루만진다.

더 잘 쓰고 싶다. 마음먹은 대로 잘 할 수 있는 건 당연히 아니겠지만 그래도 잘하고 싶다는 마음이 나를 잘 이끌어주리라 믿어본다. 그런 마음이 게으른 나를 이끌고 더 나은 인간이 되도록 용기를 줄 것이라고 믿고 나아갈 수밖에는 없다. 잘하는 것 하나 없는 내가 여태껏 가늘고 길게 늘 그렇게 살아남았으니까. 또 어딘가에 부지런히, 아니 게으르더라도 조금씩 기록으로 지금의 나를 남겨놓아야지 한다. 아마도 그럴듯한 글은 아닐 것이다. 그저 써야만 하는 사람이라는 걸 잘 알기에 앞으로도 써나갈 생각이다. 삶을 기록하다 보면 어느덧 나도 누군가 읽어줄 그럴듯한 한 권의 책과 같은 사람이 될 수 있을까.

한 문장의 고민으로 또 글의 마침표를 찍는다.

마음의 방을 청소하며

여느 날과 다름없이 눈을 감고 시끄럽게 울리는 알람을 서너 차례 끄고나서야 겨우 이불을 걷어 낸 그저 그런 평범한 하루의 시작. 평소 잘 입지 않던 갈색 코트를 꺼내입고 무거운 발걸음으로 현관을 나선 그냥 그런 하루. 여전히 나를 옭아매는 일과 사람들 사이를 표류하다가 또 특별한 것 없는 지루한 하루가 간다.

그러나 오늘은 유난히 지독한 화가 마음 방 한편

눅눅하게 늘어 붙어있다. 찐득하고 시커먼 곰팡이 같은 것들이 켜켜이 쌓이고 엉겨 붙어 악취를 풍긴다. 좋은 것만 채우고 싶었던 방이었는데, 예쁘게 꾸미고 밝은 볕을 들이고 싶었는데. 점점 방은 눅눅하고 습해졌고 점차 빛을 잃어갔다.

그러다 문득, 나를 화나게 하는 것은 그저 그런 하루의 일부가 아닐까 생각했다. 이부자리를 탁탁 털어 햇볕에 말리고 먼지를 걸레로 훔쳐내듯 자꾸만 방을 환기하고 볕을 들게 해 나만의 향을 찾아간다. 인생은 쌓이는 화를 자꾸만 걷어내고 청소하고 비워내는 일의 연속일까.

오늘도 오래 묵은 화를 걷어내는 일로 그저 그런 하루가 지나간다. 오래된 눅눅하고 퀴퀴한 것들이 방에 쌓이기도 하고 비워지기도 하면서 어느덧 방은 그럭저럭 다시 방의 형태를 찾아간다. 여전히 치우고 닦아야 할 것들이 많지만 오늘은 여기까지만 하고 자야겠다.

컴퓨터가 자꾸 꺼져서

오래 묵혀두었던 컴퓨터 내 필요 없는 파일들을 정리했다. 글이 잘 써지지 않았기도 했고 쓰다가 컴퓨터가 두 번이나 꺼졌기 때문이기도 했다. 살짝 짜증이 났지만, 마음을 잘 달래본다.

자주 저장한다고는 하는데도 이런 경우에는 참 허망하게 날아가는 글들을 바라볼 수밖에 없었다. 대체 무엇이 문제인가 하고 재부팅된 컴퓨터를 차근차근 뒤져보았다. 언제 있었던 건지도 모를 폴더를 찾아 들어가 보니 앞으로도 절대 열어볼 일 없는 것들이 많이 있었다. 마치 언제 쓰일지 모를 잡동사니들이 언제고 쓰이기를 간절히 기다리며 먼지 가득 쌓인 구석에 놓여있는 것처럼, 컴퓨터에도 많은 것들이 쌓여 나도 모르는 사이 쌓여가고 있었다. 차근차근 필요 없는 파일들을 삭제해갔다. 오래 묵혀 두었던 것일수록 그 출처를 모를 것들이 많았다. 용량이 큰 것들부터 용량은 작지만 불필요한 다운로드 파일들까지 참 다양도 했다.

어쩌면 삶도 비워내는 일이 중요하다는 생각이 들었다. 욕심이 많아 이것저것 가득히 채우는 동안 정작 필요한 것들이 그 쓰임새를 제대로 발휘하지 못하기도 한다. 마치 정리되지 않은 머릿속과 같이 제각각 뒤죽박죽 섞여 부서지고 닳아 있다. 다시 신선한 것들로 채우기 위해서는 우선 비우는 연습이 필요하다.

컴퓨터 정리를 마치고 다시 글을 쓴다. 기분 탓인지 컴퓨터가 한결 가벼워진 것만 같았다. 글도 왠지

잘 써지는 것만 같은 기분. 오늘은 조금 더 집중해서
써보기로 한다.

마음이 힘들 때마다 떡볶이를 먹었다

　왜인지는 모르겠지만 괜히 마음이 불편한 날이 있다.

　카페에 혼자 앉아 글을 쓰고 있다가 잠깐 쉬며 주변을 둘러보면 각자의 자리에서 무언가 열중하는 사람들의 모습이 보인다. 그러면 괜히 눈을 질끈 감고 손을 모아 다리 사이에 넣고 어깨를 움츠린다. 알 수 없는 부끄러움과 좌절을 느낀다. 자신을 마음속의

평가 의자에 앉혀놓고는 남과 열심히 비교한다. 굳이 단점을 끄집어내 자꾸만 날카로운 판단의 잣대를 들이민다. 내 글은 왜 이럴까. 나는 왜 이렇게 집중을 못 할까. 난 여태 무얼 이루어왔나. 지금 하는 일들이 다 의미가 있는 일일까.

무너지고 만다. 간신히 잡아 왔던 마음들이 와르르. 잘 버텨내던 나날들이 한순간 아무것도 아닌 날들이 되어버린다. 도망치듯 노트북을 접어 가방에 넣고는 카페를 뛰쳐나온다. 누가 쫓아오는 것도 아닌데 서두른다. 행여 괜찮았던 마음이 다시 어두운 동굴 속을 헤맬까 봐 얼른 밝은 바깥을 향해 시선과 마음을 돌린다. 얼른 집으로 가서 오늘은 기필코 떡볶이를 먹어야지 한다. 괜스레 허해졌던 마음이 떡볶이를 떠올리며 조금은 채워지는 기분이다.

누구에게나 위로가 되는 존재가 있을 것이다. 그게 음식이든 사람이든 물건이든 외롭고 고독한 삶에

기댈 곳 하나 없는 내게 따스한 위로 건네는 것 하나
쯤 있다는 것은 그 자체로 멋진 일이다. 문득 궁금해
진다. 이 글을 읽을 누군가의 떡볶이는 무엇일까.

이대로 사는 게 맞을까

7월도 어느덧 절반이 지나간다. 2021년도 어느새 절반이 지났다. 어느덧 푸릇한 풍경들이 주변을 수놓는다. 열기로 가득한 오후를 지나 비교적 선선한 여름밤이 무르익어 간다. 그런데 날이 갈수록 나는 더 무르익어 가고 있는지 의문이 든다. 뭐 꼭 그래야만 하는 것은 아니지만 이 고민은 늘 내가 살아가는 동안 발에 채는 성가신 돌처럼 턱 걸리고는 한다. 지쳐가는 일상에 바닥나는 체력과 빛을 잃어가는 눈동자. 날이 가고 더워지면서 늘어가는 그럴듯한 핑계와 변명들만이 나를 가득 채워간다. 과연 이대로 사는 게 맞을까.

내가 나를 가장 잘 안다고는 하지만, 아직 내가 누구인지, 무얼 좋아하는지, 행복은 어디서 오는지 등에 대한 굵직한 숙제들은 늘 가슴을 조여온다. 필연적으로 맞닥뜨려야 하는 삶의 과제들을 뒤로한 채 살아온 나날들 속에서 자꾸만 비겁해지는 양심과 얄팍한 꿈은 초라한 나를 더욱 움츠러들게 한다.

저물어 가는 해를 멀뚱히 바라본다. 여태 수많은 풍경을 보았어도 늘 익숙해지지 않는다. 매 순간 다른 그림 같은 노을은 또 하루가 지나갔음을 알린다. 쏜살같이 달아나는 시간만큼 나도 기민하게, 유연하게 함께 성장할 수 있다면 좋을 텐데. 한편으로는 굼뜨고 게으른 덕분에 얻은 것도 많았지, 하며 스스로 위로하며 웃어 보기도 한다.

이대로 사는 게 맞을까.

　사실 이 고민에 정답이 없다. 애초에 질문이 틀렸다. 맞고 틀리고의 문제가 아니라 맺고 끊음의 문제다. 수많은 선택의 갈림길에서 고르고 행하고 실패하고 돌아서며 그저 나로 살아내는 과정에서 맺고 끊어가며 나를 지키고 나아가게 하는 것이 곧 삶인 것을. 좀 굼뜨고 돌아가면 어떤가. 그게 내 방식이자 방향인 것을. 나의 방향으로 나의 속도로 맞고 틀린 것이 아닌 잘 맺고 끊어가며 조금 더 무르익어 가기를 바라며 오늘도 또 한 아름 고민과 불안을 안고 하루를 노을에 담아 보낸다.

불안을 안고 잠자리에 든다

어제의 불안을 안고 아침에 눈을 떠 밖을 나선 순간부터, 수많은 고민과 걱정을 한가득 치렁치렁 달고 돌아와 잠자리에 다시 드는 일련의 과정이 참 지겹다는 생각이 들 때가 있다. 무겁고 쓰라린 것들이 가득한 머릿속을 채 비워내기도 전에 잠자리에 들어야만 한다는 사실에 숨이 막힌다. 그러나 내일은 내일의 불안을 또 한 아름 껴안아야 하기에 잠들지 못해도 잠자리에 든다. 지겨운 내일을 또다시 잘 살아낼 나를 안고, 포근한 잠자리에 든다.

꿈으로 도망가는 일

　세상을 잘 모르던 어린 시절 꾸었던 꿈들은 희미하지만, 그것을 가슴에 품었을 때의 감정과 순수함만은 마음 한구석에 진한 향으로 남아있다. 몸과 마음이 자라는 만큼 서서히 변해갔을 뿐, 어떤 형태로든 존재했으나 눈치채지 못했던 것뿐이다. 한 움큼 집어 꿈을 들어 보이면 누군가 흉볼까 꼭꼭 숨고 두었다가 힘들 때마다 슬쩍 들여다보곤 했다. 그러나 어느 순간 손에서 자꾸만 놓치고 채워지지 않는 공간에는 공허함만이 덩그러니 남는다. 삶에 치여 어느덧 꿈은 사치가 되어 버린 걸까.

　어린 시절, 병원에서 긴급한 전화 한 통을 받고 오열하던 어머니를 본 후로는 의사가 되어 할머니처럼 아픈 사람들을 보살피고 살리고 싶어 했다. 슬픔이란 것이 뭔지도 잘 모르면서 아, 죽음이란 것은 이토록 누군가의 가슴을 미어지게 하는 것이구나 했었던 것 같다. 그러나 그 꿈은 시간이 흐르면서 자연스럽게 변해갔다. 사람의 생명에 대한 책임을 지는 일은 감히 범접할 수 없는 영역의 일이었고 나는 그럴 위인이 되지 못했다.

　그 뒤로는 꿈이라고 불릴 만한 것이 뚜렷하게 없었다. 어른들이 흔히 강조하곤 했던 공무원, 회사원 등을 장래 희망에 적어 냈다. 내가 못 하는 것은 아주 잘 알았고 무엇을 잘하고 좋아하는지는 잘 몰랐다. 그저 반에서 5등 안에 드는 것이 최선의 목표였고 성적이 비슷한 친구를 이기겠다는 단순한 경쟁심만이 있었을 뿐이었다. 그러다 어느덧 장래를 어렴풋이 결정해야 하는 때가 와서는 문과 과목에 자신이 없었으므로 수학을 잘하지 못하였음에도 이과를 선택했다. 그때부터 줄곧 당시 대기업에서 일하고 있던 사촌 형, 누나와 내 친누나를 따라 관련 전공을 택해야겠다는 막연한 생각을 가졌을 뿐이었다.

서른을 넘긴 지금은, 퇴사가 꿈이 된 것만 같다. 생각하던 방향대로 삶이 흘러가지 않았을 때부터 도 망을 생각했던 것 같다. 삐걱대는 회사와 나 사이의 고리들이 결국에는 끊어질 것이 분명한데 이 악연의 고리를 어떻게 잘 끊어낼 것인가. 수 없이 많이 고민 하다가 글을 쓰게 되었고 쓰다 보니 읽게 되고 읽다 보니 책이 있는 곳에 가게 된다. 그곳엔 나와 같은 사람이 많았고 하나의 책이자 사람으로 존재했다. 다가가 말을 걸고 대화하다 보니 어느새 그 들과 함 께하고 싶어졌다. 자연스럽게 희미했던 꿈에 가까운 것이 뭉게뭉게 피어오르고 있다. 언젠가는 나만의 공간에서 수많은 책을 읽고 쓰고 듣고 나누며 살고 있지 않을까. 더 이상 도망치지 않고 정착할 수 있을 까. 나는 꿈으로 도망갈 수 있을까.

살아가는 동안
미해해줄수 있는 것은

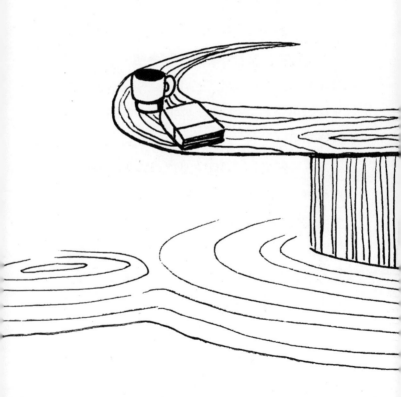

나를 가장
나쁜임을 잘알기에

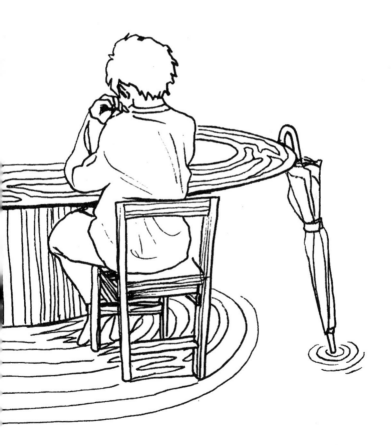

2부

문득

사실은 나도 많이 힘들었어

회사를 두 번째로 쉬기로 한 이후로 매주 상담하러 가고 있다. 첫 번째 쉬었을 당시에는 상담에 대해 진지하게 생각할 여유조차 없었다. 당장 울렁이며 이리저리 산개한 마음들을 주어 모으기도 바빴던 것 같다. 그래서 이번에 쉴 때는 좀 더 나를 위한 시간을 가지고 싶었다. 그래서 용기 내 찾아갔다.

상담을 시작하기 전에는 과연 내 이야기를 잘 할수 있을까 걱정이 되었다. 가서 멀뚱멀뚱 앉아만 있다가 오는 건 아닐까. 괜히 비싼 돈 주고 아무 소득도 없는 것 아닐까. 또 사서 걱정을 했다. 평소에도 내 이야기를 잘하지 못하는데 처음 보는 타인에게 잘 해낼 수 있을 리가 없다고 생각했다. 그러나 고민은 그리 오래가지 않았다. 친절하고 다정한 상담 선생님은 사소한 이야기에도 귀 기울여 주셨고 이내 마음을 놓고 이야기를 터놓을 수 있었다. 그렇게 사소하지만, 절대 사소하지만은 않은 나를 돌보아주는 일에 집중했다.

상담의 시작은 늘 나의 말로 시작되었다. "저의 한 주는요..."로 시작한 말은 한 시간 동안 끊임이 없다. 상담하러 가는 차 안에서 오늘은 무슨 말을 해야 하나 했던 고민이 무색할 만큼 청산유수다. 한 주간의 에너지 레벨에 대하여, 만났던 사람들, 책방에서 일하면서 겪고 들은 이야기들. 하고 싶은 말이 참 많기도 하다. 어떨 때는 약속 된 한 시간이 넘기도 했다. 상담 선생님은 그럼에도 채근하지 않고 말을 끝낼 때까지 기다려주시고는 했다. 어쩌면 누군가 들

어주기만을 애타게 기다렸던 걸지도 모르겠다. 나
이렇게 여기 살아 있다고 외치고 싶었던 것 같다. 죽
고 싶진 않았으니까. 죽고 싶을 만큼 힘들긴 했지만
그래도 그럴 수는 없었으니까.

　며칠 전 상담 때의 일이다. 어린 시절의 나로 돌
아가면 "사실은 나도 많이 힘들었다고 말하고 싶다"
라고 말한 적이 있다. 어린 시절, 그토록 하고 싶었
던 말은 그리 거창한 것이 아니었다. 그저 많이 지치
고 외롭다고. 괴로울 때도, 포기하고 싶을 때도 있었
다는 아주 간단하고도 명료한 말이었다. 분명, 하고
싶은 말이 많았던 것 같은데 그저 버티고 참는 게 당
연하다고 생각했던 어린아이는 그렇게 마음이 망가
져 가는지도 모르고 늘 감추고 주변을 잘도 속여왔
던 것 같다. 방법을 잘 몰라서 악으로 버티다 보니
표정과 행동이 굳고 입이 무거워졌다. 자꾸만 행동
이 굼뜨고 과묵해졌다. 자연스럽게 관계도, 일도 부
자연스러워졌다.

사실은 나도 많이 힘들었던 것 같다. 아닌 척 해봐도 많이 지쳐있었다. 모른 척했지만 더는 그럴 수 없을 만큼 춥고 외로웠다. 마음속에는 아직도 그때의 어린아이가 웅크린 채 울고 있었는데 살아가는 일에 치여 탈진해버린 어른은 아이를 자꾸만 못 본 체했다. 더욱 곪아가는 상처들에 아이는 무력했다. 더 이상 울지도 않았다. 아니 우는 법을 까먹은 듯했다. 그렇게 아파하는 법을 잊고 즐거움도 행복도 그저 마음 한구석에 쌓아두고는 삶에 전력을 다했다. 그것이 살아가기 위한 유일한 방법이었으니까. 어떻게든 살아남기 위한 처절한 생존 방식이었을 것이다.

이제는 2주에 한 번 상담하러 가고 있다. 이제는 부정적인 이야기보다 긍정적인 이야기를 더 많이 한다. 여전히 나의 말로 시작하는 대화는 미래를 바라보고 내일을 향한다. 과거의 나로부터 체득한 것들을 안고 밝은 곳으로 자꾸만 향하려고 하는 관성이 나를 우울의 바깥으로 이끈다. 많이 좋아지고 있음을 느낀다. 나를 짓누르던 지긋지긋한 우울함이 이제는 나를 살게 하고, 더 잘 살고 싶게 만든다. 엎지른 물처럼 나는 우울을 어찌하지는 못한다. 다만 나는 앞으로도 이 우울과 함께 잘 지내보려고 한다. 이제는 나도 많이 힘들다고 솔직히 말하는 법을 터득해가면서 또 잘살아 보려고 한다.

마음을 내어 주는 일

　마음을 상대에게 내어줄 때는 준 만큼 다시 돌려
받을 생각은 하지 않는 편이다. 내 마음에 대한 상대
의 감정에 대해서는 관여하지 않으려 한다. 오롯이
그의 선택이며 그것에 대해 신경을 쓰지 않는다. 기
대를 하게 되면 그만큼 더욱 큰 고통이 따를지도 모
르기 때문이다. 그래서 마음을 줄 때는 대가를 바라
지 않는다.

　그 언젠가는 주는 만큼, 아니 그 이상을 돌려받기

를 바랐던 적도 있었다. 그러나 이제는 그것이 덧없는 일이라는 것을 잘 안다. 이제는 상처를 주고 싶지도 않고 받고 싶지도 않다. 그저 물 흐르듯 자연스러운 관계의 바닷속에서 부유하고 싶을 뿐이다.

이유를 안고

다 저마다의 이유를 안고 산다. 해야 할 이유도, 하지 말아야 할 이유도 있다. 그 수식어는 다르지만, 의미는 크게 다르지 않다. 그런 이유가 모여 하나의 삶을 이루고 또 살아가야 할 이유를 만든다. 이유를 찾고 안고 만들며 살아가는 일련의 과정이, 인생이란 삶의 현장으로 나서는 또 다른 이유겠지. 그러나 많은 이들의 살아가는 이유가, 그들과는 다른 삶의 이유를 안고 살아가는 내게 어떠한 기준도 되어서는 안 된다는 것을 되뇐다. 각자가 설정한 방향과 속

도로 나아가는 동안 나만의 방향과 속도로 나아가면
되는 것이다.

또 나만의 이유를 만들고 안으면서.

말에도 모양이 있다면 어떨까요

사람마다 만들어 내는 말의 모양은 같은 말이라도 아마 제각기 다를 거라고 생각해요. 나는 그럼 어떤 모양의 말을 만들고 있을까요. 그리 예쁜 형태는 아닐지라도 그럭저럭 봐줄 만하진 않을까 생각해요. 가끔 뾰족하게 날이 선 모양을 띠기도 하지만 이내 뭉툭해지고 말 거예요. 앞으로는 더 예쁜 말을 많이 만들며 살고 싶어요. 서툴지만 그래도 최선을 다해 빚은 예쁜 말이요.

냉소적인 인간

살다 보니 자꾸 냉소적인 인간이 되어간다. 자꾸 딱딱하게 굳고 냉철해지고 차가워진다. 그러지 말아야지 하면서도 몸과 마음이 퍽퍽하고 거칠어져만 간다. 썩 유쾌하지만은 않은 마음이 추운 날씨를 타고 밀물처럼 들어차 기어코 자리를 잡는다. 좋았던 일이 지치고 힘든, 하기 싫은 일이 되고 절절히 사랑했던 것이 쳐다보기도 싫을 만큼 미워지기도 한다. 자꾸 삶이 무미건조해지고 지속할 이유를 잃어간다.

우유부단한 마음은 때로 오락가락 갈피를 못 잡고 흔들리기도 한다. 싫었다가 좋았다가 한다. 근데 그 주기가 이젠 짧아진다. 포기가 빠르다. "에이, 안 하고 말지." 한다. 그렇게 삶에서 우선순위를 두고 포기해도 괜찮은 것이 는다. 아니, 어쩌면 포기하고 싶었던 것들을 하나둘 놓아가고 있는 것 같다. 그것이 나에 대한 것일수록 더욱 빠르다. 내가 좋아하는 것들. 굳이 찾지 않아도 사는 데 지장이 없는 것들. 가령, 비싸고 맛있는 음식이나 꼭 마음에 드는 옷, 즐거운 취미 생활, 편하게 수다 떨고 싶은 관계와 같은 나만 포기하면 꼭 필요하진 않은 것들이 그렇다. 자꾸만 놓다 보니 어느덧 공허해진다. 빈껍데기만 남은 것만 같다.

서글퍼진다. 힘겹게 하루하루 살아가느라 자신에게 너무 무심했던 걸까. 나에 대한 건 왜 그리 쉽게 포기해왔는지. 남에게 초점을 맞추느라 나를 똑바로 바라보는 시야는 흐릿해졌다는 것을 이제야 깨달는다. 어찌 되었든 나의 삶을 나아가게 하는 것은 나 자신이다. 더 이상 포기하지 말고 나의 것을 지켜나가야겠다. 나에게만큼은 부드럽고 따스한 마음을 건네고, 자신을 절절히 사랑하고 믿고 의지해야 하겠다고 또 괜스레 빈주먹을 꽉 쥐어본다.

모래성

한낱 모래알로 태어나

모래성이 되었다가

차디찬 파도 앞에서

운명의 시간 기다렸다가

와르르 바스러져

아무도 찾아주지 않겠지

그저 스치듯 사라져 버리는 거겠지

그러나 기억해야 한다

나는,

마음으로 빚은 멋진 성이었고

관심으로 맺은 끈끈한 결속이었고

누군가의 작고 소중한 모래성이었음을

관성

멈추는 일은 곧 내 세상의 종말이라고 생각했던 때가 있다. 한 치 앞도 보지 못하면서 그저 밝은 미래를 갈망하며 달리던 때. 마음과는 다르게 빠른 걸음으로 멀리 달아나는 시간을 따라 잰걸음으로 뒤따르다 보니 숨이 가쁘다. 마치 물에 빠져 허우적대는 것처럼. 살기 위해서, 삶의 목적을 찾고 살아있음을 느끼기 위해서 무거운 다리를 옮겨 발걸음을 내디뎠다. 그러나, 그 시간 동안 배운 것은 잘 달리는 법이 아닌 달릴 수밖에 없었던 조급함, 불안, 자기 연민,

자괴감, 더 이상 달릴 수 없을 것만 같은 좌절감 같은 부정적인 것이었다. 더욱 무너지고 주저앉았다. 그렇게 내 세상은 무너졌다.

달리는 것에는 관성이 있다고 생각한다. 그래서 쉬어가려고 잠깐 앉으려고 할 때 넘어질 것 같은 두려운 마음이 든다. 깨지고 무너지고 포기해야 하는 것들이 생긴다. 그런데 잘 달리기 위해서는 잘 쉬어야 한다고 믿는다. 팔과 다리의 긴장을 풀고 근육을 유연하게 풀어놓고 큰 숨을 들이쉬어야 한다. 탁한 공기를 내보내고 신선한 공기를 들여야 한다. 부정적인 것들을 큰 숨에 담아 흘려보내고 맑은 것들로 채워주어야 한다. 시간을 쫓아 잰걸음으로 나설 준비를 해야 한다. 가야 할 길도 천천히 둘러보고 마음도 쉬게 해주어야 한다. 잠깐 쉬어간다고 해서 세상이 무너져내리는 것은 아니다. 그저 다시 천천히 다듬어 나가면 된다. 달리던 관성에 쉽게 무너지지 않도록 쉼의 관성으로 다시 천천히 길을 나설 채비를 하면 된다.

모순

　주말 아침, 늘어지게 늦잠을 자면서도 지독한 게으름에 스스로 실망한다. 배가 터지도록 저녁을 먹고 와 더는 못 먹겠다고 하고서 또 달콤한 아이스크림의 유혹을 뿌리치지 못한다. 나는 얼마나 모순적인 사람인가. 올곧은 기개로 한결같으면 좋을 텐데 나는 참으로 이해할 수 없는 존재이다.

　생각해 보면 참 이상하다. 어릴 적 그토록 벗어나고 싶었던 가족들에게서 독립해 자유로워진 지금,

이토록 사무치게 가족의 품이 그리운 것도. 어른이 되기를 바라지만 늙는 것은 두려워 젊게 살고 싶은 것도. 모든 것이 모순이다. 자연스러운 시간의 흐름에 순응하고 싶지만 그와 동시에 거스르고 싶다. 참 역설적이다.

　나의 모순은 선택의 순간에서도 볼 수 있다. 선택의 순간은 늘 괴롭다. 마치 눈을 가리고 눈앞의 보이지 않는 금은보화를 쟁취하려 팔을 휘젓는 것처럼 탐욕스럽기도 하고, 한 치 앞 가늠할 수 없는 어둠 속에서 길을 찾아내야 하는 과제를 수행하는 것 같기도 같다. 그 선택이 어떤 결과를 초래할지는 모른다. 한 줄기 빛과 같을지 깊숙한 구렁텅이와 같을지 길고 짧은 것은 대어봐야 아니까. 그래도 끊임없이 선택해야만 하기에 이런 사실을 잘 알면서도 선택의 순간에 이성과 감성 사이에서 갈팡질팡 고민한다. 후회할 것을 알지만 과감히 선택하기도 하고 때로는 머리로는 이 선택이 옳다는 것을 알면서도 마음이 움직이지 않아 선택하지 않기도 한다. 이 얼마나 모순적인가.

이 끝없는 모순 속에서도 점차 내 마음의 색은 선명해질 것이라 믿는다. 늘어지게 늦잠을 자다가도 다시 기운을 내 몸을 일으키고, 달콤한 아이스크림을 먹으며 잠시나마 행복할 수 있다면 그것으로 나는 더 이상 모순된 나에게 의문을 품지 않기로 한다.

모순으로 얼룩진 삶일지라도 점차 그것이 옅어져 결국에는 예쁜 색의 무늬가 될 수 있지는 아닐까. 혹시나 하는 마음에 오늘도 작고 소중한 모순들을 그려본다.

관계의 불씨

불은 유용하기도 하지만 동시에 위험하기도 하다. 필요할 때는 활활 타오르는 불이 소중해지고, 위험한 순간 불은 빨리 소멸하는 것이 안전하게 느껴진다. 이것이 마치 관계와 같다는 생각이 든다. 발화와 연소의 과정을 거치며 탄생하고 소멸하는 것이 관계가 아닐까. 서로에게 호감을 느끼고 만나 작은 불꽃이 일고 관계의 시작을 알리는 불이 붙어 불티가 주변에 날리는 것처럼.

한편, 뜨거워진 만큼 더 상처받고 데일 수도 있다. 관계가 타오르기 시작한 순간부터 예고된 일인 것처럼 연소의 순간에는 더욱 상처가 깊고 아프다. 관계는 한때 아름답지만, 마지막 연소의 순간에는 쓸쓸하고 애처롭다. 일순간 발화한 불꽃은 언제고 연소할 운명을 타고나는 걸까.

요즘은 누군가와의 관계에서 입을 상처가 얼마나 깊을지, 혹은 상처를 입히게 될 사람의 마음은 얼마나 아플지를 생각한다. 그래서 자꾸 관계의 시작을 망설인다. 두려운 마음에 관계의 불씨를 살려두지 않으려고 한다. 더욱 관계를 시작하는 일이 어려워진다.

그럼에도 자연스럽게 발화하는 관계가 있다. 자꾸만 불어 끄려고 해도 살아나는 불씨가 발화하고, 소멸하는 동안 또 얼마나 많은 불티가 날릴지 알 수 없지만 타오르는 불꽃을 바라보며 괜스레 감사한 마

음이 들기도 한다. 기꺼이 나에게 다가와 불꽃을 일
게 하고 타오르게 한 그 사람과의 관계가 더욱 소중
해진다.

　　타오른 불을 구태여 *끄*지는 않으려 한다. 오늘의
이 발화를 기억하며 훗날 연소할 그날에도 관계의
소멸을 의연하고 담담하게 받아들이기를 바란다.

상실에 대하여

어릴 적 내가 사랑한 것들은 내 곁을 그리 오래 머무르진 않았다. 아꼈던 장난감은 어딘가 부러지거나 사라지기 일쑤였고, 마음이 잘 맞던 친구는 어디론가 전학을 가버리곤 하여 금방 잊혀 갔다. 이처럼 사랑했던 것들은 그리 오래 기다려주지 않았다. 간절히 관심을 갈구하기도 하고 헌신적으로 마음을 내어주기도 하면서 곁에 있었는데, 그 언젠가 갑자기 훌쩍 떠나버린다. 그러고는 뒤돌아보지 않는다.

떠나는 이의 뒷모습은 결연하다. 결국 떠나보내는 이는 뒤늦게 후회한다. 최선을 다하지 못한 나를 탓한다. 그러나 그땐 이미 늦다. 상실은 운석처럼 기습적으로 마음에 불시착한다. 꼭 채워주어야 하는 자리에 빈 공간이 남아버리는 것. 가득 들어차 있던 것이 빠져나간 자리는 거대한 운석이 떨어진 자리처럼 깊숙하게 패여 구멍으로 남는다. 상실은 그렇게 불현듯 찾아온다.

늘 소중한 것이 곁을 떠났을 때 비로소 그것이 소중했음을 깨닫곤 한다. 가까울수록 더욱 소중함을 자주 잊는다. 그러나 소중한 것은 늘 우리의 곁에 있다는 사실을 기억해야 한다. 그것은 늘 주변을 맴돌다가 언제고 떠날 수 있다. 그 언젠가 우리가 준비되지 못 한순간에 마치 운석처럼 우리 마음에 큰 상실을 남기고 차갑게 식어버릴지도 모른다. 늘 소중한 것은 내 곁에, 지금 이 순간에 있다.

마음의 정원

꽃이 피고 지는 아주 자연스러운 과정에도 처음
과 끝이 존재한다는 사실이 슬프다. 마치 우리 삶의
시작과 마지막을 단편적으로 보여주는 것만 같다.
모두에게 화려한 꽃처럼 피었다가 자연스럽게 저무
는 시간이 있을 것이다. 곁의 사람들과 함께 예쁘게
만개하는 순간을 만끽하고 때가 되면 꽃과 같이 생
기를 잃는 시간이 다가올 것을 생각하니 퍽 애달프
다. 그런데, 꽃은 시들어도 그 예뻤던 시절만큼은 우
리의 마음속에 고이 간직되는데 우리의 삶은 도대체

무엇이 남는 걸까. 열정적으로 피고 지는 동안 그 아름다움의 흔적이 주변의 소중한 사람들의 마음속에 고이 간직되는 것은 아닐런지.

　시들어 가는 것은 어쩌면 마음의 꽃을 새로 피워가는 과정이 아닐까 생각한다. 시간이 흘러 나이가 들고 세월을 맞이하면서 물과 흙과 햇빛과 공기 같은 사람들과 함께 피고 짐을 반복하는 예쁜 꽃들을 한 송이씩 심어 가며 마음의 정원을 예쁘게 꾸며가는 것이 인생이라는 생각이 든다. 그러니 꽃이 피고 지는 일에 너무 슬퍼하지 말아야겠다. 자연의 섭리를 따르며 나만의 정원을 더욱 가꾸어나가야겠다.

결이 맞는 사람

관계에는 결이 있다. 각자가 다르게 살아왔기에 완벽히 같을 수는 없지만 그래도 꽤 잘 맞는다는 느낌을 주는 그런 관계. 색, 온도, 취향과 생각 같은 것들이 꽤 잘 들어 맞는 사람. 우리는 그런 사람과 함께 살아간다.

그러나 우리는 무수히 많은 종류의 사람들과의 복잡한 관계 속을 헤맨다. 가벼운 관계에서 아주 복잡하게 얽힌 피곤한 관계까지. 피할 수 없는 관계의 범람을 막기 위해 우리는 마음에 댐을 세운다. 넘어버리면 더 이상 지속될 수 없는 관계는 아슬아슬한 수면을 오간다. 선을 긋고 내 영역을 가린다.

그런 선이 비슷한 사람이 있다. 서로의 영역을 잘 이해하고 존중하며 아슬아슬 줄타기 하듯 하지 않는다. 선을 명확히 알기에 저만치 멀리서 지켜봐 준다. 그러나 따스한 온기는 멀리서도 잘 전달된다. 결이 맞는다는 것은 많은 부담을 주지 않고 충분히 마음을 전할 수 있는 사이. 굳이 말로 표현하지 않아도 서로를 이해할 수 있는 배려하는 관계. 서로의 영역을 잘 지켜주려 노력하는 사람들. 그 사이를 유영하는 내 마음과 그걸 지켜보는 상대의 마음이 맞닿을 때, 댐이 없어도 서로의 수면을 일렁이지 않게 잘 나누는 조심스러운 대화 같은 것들 아닐까.

도전하는 자의 행복

가끔 행복에 관해 이야기할 때 마치 정답을 찾아야 하는 것만 같은 착각이 들고는 하는데 '행복이란 무엇인가'에 대한 끝없는 물음 끝에 남는 것은 다시 물음표다. 반복되는 물음의 끝에는 끝이 없고 다시 시작이 있을 뿐이다. 결국 행복의 종류는 아주 다양하다는 허무맹랑한 임시 결론을 내리곤 한다.

사실 행복이란 것에 정의를 따지자면 형용할만한 단어가 쉽게 떠오르질 않는다. 주관적이고 추상적인 개념인 행복을 감히 정의하는 것은 어려운 일이다. 결국 죽을 때까지 행복이란 것이 무엇인지 모르고 살아갈 것이 확실하다. 그럼에도 한가지 확신할 수 있는 것은, 도전하는 자는 분명 행복을 향한다는 것이다. 도전하는 사람은 행복할 준비가 되어있으며 행복이 자연스레 깃든다고 믿는다. 나는 아직도 행복을 잘 모르고 아직도 도전하는 것을 두려워하지만, 나와는 다르게 멋지게 도전하는 자에게는 마땅히 행복이 뒤따른다고 믿는다.

도전하는 것은 한계를 정하지 않고 나아가겠다는 숭고한 의지이자 각오이다. 그 시작으로도 이미 대단한 성과이며 충분히 가치가 있다. 현재의 능력에 안주하지 않고 무한히 펼쳐진 가능성을 향해 기꺼이 투자하는 것. 내면의 균열과 혼란을 일으키더라도 굳건히 버티겠다는 의지. 도전은 이미 그 자체로 큰 의미가 있다. 앞으로 나아가겠다는 마음이 또 한 걸음을 앞으로 옮길 수 있게 해줄 것이라 믿는다.

작은 것부터 차근차근, 꾸준히 해나간다면 그것은 더 이상 답이 없는 질문이 아니라 하나의 행복의 형태를 꾸준히 만들어가는 과정이라고 믿는다. 그러다 어느 순간 온전한 한 종류의 행복에 가까이 다다를 수 있을 것이라 믿는다.

오늘도 도전하는 당신을 진심으로 응원한다. 아직도 도전이 두렵기만 하지만 당신이 향할 행복의 모습을 기대하며 나도 더욱 용기를 내보려 한다.

부끄러운 고백

출근길, 도로 위 차갑게 누운 생명체. 부디 좋은 곳으로 가게 해달라고, 이렇게밖에 할 수 없는 나라서 미안하다고 들어줄지도 모르면서 빌어본다. 영개운치 못한 마음으로 출근해서도 종일 어깨를 짓누르는 알 수 없는 죄책감이 무겁다. 그들은 왜 도로 위에서 차갑게 식어가야 했을까.

인간의 문명이 발달하면서 이 세상에서 사람이 살아갈 공간은 점점 부족해져만 갔다. 고도화된 기술 덕에 휴대 물품들의 크기는 점점 작아지면서도 인간이 머무르고 누리고 행하는 것들은 거대화되어만 갔다. 더 좋은 것과 멋진 곳, 그리고 휘황찬란한 고급스러운 제품들과 같은 것들이 인간의 삶을 더욱 풍요롭게 했지만 애써 눈을 꼭 감고 못 본 체했던 반대편의 어떤 삶은 더욱 가난해지고 그들의 터전을 잃어갔다. 많은 동물과 식물들이 누리던 자연은 인간에게 그들의 삶의 터전을 내어주고 자꾸만 외지로 내몰려왔다.

그럼에도 자연은 불평하지 않는다. 다만, 소리 없이 그 존재를 알리며 조용히 소리칠 뿐이다. 홍수나 태풍 같은 큰 자연재해부터 도로에 뛰어든 작은 생물들의 소멸까지. 어쩌면 우리에게 외치고 있는 걸지도 모른다. 눈치채지 못했을 뿐, 아니 사실은 못 본 채 해왔던 작고 큰일들이 그들의 고통스러운 비명일지도 모른다는 생각이 든다.

우리가 누리는 많은 것들이 한 편의 이기로 만들어져 불공평하다고 느껴질 때가 많다. 그것들을 편히 누리고 있는 내가 도로 위 차가운 생명체에게 알 수 없는 죄책감과 개탄스러움을 느끼는 것은 얼마나 부끄러운 일인가. 그저 지나칠 수 있는 감사함이 누군가의 희생으로 말미암아 만들어지고 형성되었다는 것을 마음 깊이 깨닫는다.

사소한 희생이란 없다. 무시당해야 할 마땅한 마음들도 없다. 결국에는 함께 살아가야 하는 것이다. 그렇기에 한쪽의 희생을 강요해서는 안 된다. 공존하려는 방법을 모색하고 노력하여야 한다. 그러나 그것이 쉽지 않은 것을 잘 알고 있다. 어렵기에 더욱 바라보고 관심을 가져야겠다고 또 부끄러운 다짐을 한다.

퇴근길 같은 자리, 어느덧 공허하게 남은 빈자리에는 무거운 쓸쓸함이 드리운다. 지친 하루의 끝에 부끄러움이 온몸에 진득이 묻는다.

모래알과 포말

후회 없는 삶이란 존재하는 걸까.
그것은 마치 하늘을 날고 싶은 꿈과 같이
허무맹랑한 말은 아닐까.

파도 앞에 모래를 쌓아 만든 모래성처럼
선택을 쌓아 올리고 나이를 채워나가는 인생이란
한낱 작고 작은,
결국에는 무너질 모래성과 다름없을까.

모래성을 무너뜨릴 파도는 그럼

누군가를 해할 운명을 타고났을까.
결국 누군가의 선택과 후회도
또 다른 이의 것들과 얽혀 뒤범벅된
인생이라는 연극의 한 장면에 불과한 걸까.

작은 모래알부터 파도의 포말까지
모두 그 존재와 인생이
결국에는 선택으로 말미암아
후회로 남는 얼룩이 되고 마는 걸까.

후회 없는 삶이란 것이 사실은

모래알로 만들어진 모래성과
포말이 이룬 파도가 꿈꿨던,
이곳에도 작은 생명이 존재했음을
외치는 것과 같은 작은 염원은 아닐까.

비록 파도가 휩쓴 모래성일지라도.

트라우마

마음이 무너져내린 순간을 머릿속에 기록한 순간, 그것은 평생 남아 줄곧 우리를 괴롭힌다. 지우고 싶지만 지독하게도 깊게 박혀 따라다닌다. 나를 쥐고 흔든다. 마치 풀 수 없는 고리에 걸려 허우적대는 것처럼 멀리 도망치려 해도 다시 제자리로 돌아오게 된다.

견딜 수 없는, 혹은 견딜 준비가 되지 않은 때에 큰 충격을 받아 미처 유연하게 대처하지 못하여서 제때 다뤄지지 않은 마음들. 우리가 이것들에 이름을 붙이고 다루는 이유는 마땅히 그러해야 할 것들이기 때문이다. 감추고 숨겨두다가는 지독하게 우리를 괴롭히기 때문에 자꾸 내어놓고 안고 보듬어야 한다. 더 이상 묻어두지 않고 상처받은 나를 이해하고 공감해 주어야 한다. 그때의 나를 토닥여주어야 한다. 영영 사라지지 않더라도 종내에는 무뎌지고 묽어질 거라 믿으며.

그 언젠가 조금이라도 낡은 고통의 기억이 한 조각의 추억으로 남는 날에, 그땐 유난히도 힘들었었지 하고 웃어넘길 수 있기를 바라며 오늘도 나를 토닥여낸다.

나이 들어가면서

점점 많은 것들이 변해간다. 아무리 채워도 공허한 자리는 유의미한 것들로 들어차지 않고 새어나간다. 나이가 드는 것은 하나둘 채워나가는 일인 줄 알았으나 하나둘 놓아가는 연습일까. 삶이 결국 잘 내려놓는 과정이라면 있는 그대로 세월을 느끼고 받아들이는 자세를 갖추는 것이 좋겠다고 생각한다. 그러다 보니 자연스럽게 포기해야 하는 것이 생기고 참아야 하는 일이 는다.

철없던 어린 시절이 불과 같았다면 지금의 나는 얼음과 같다. 타오르는 뜨거운 불꽃은 쉽게 상대를 상처 입히고 나조차 데이기 일쑤였다. 경솔하게 뜨거운 손가락을 휘저었고 따끔한 상흔을 이리저리 남겼다. 그러나 지금은 얼음과 같이 차가워져 나 조차도 쉽게 마음에 다가서기가 힘들다. 세상을 바라보는 시선이 얼어붙고 벽을 세워 나를 감춘다. 구축해 놓은 이 곳을 혹 누군가 침범할까 봐 차갑게 쏘아붙이고 관계를 쉽게 얼린다.

예전에는 그저 그런 미지근한 사람이 되고 싶었다. 그러나 그것은 곧 이도 저도 아닌 사람이라는 뜻이었고 미지근한 사람은 세상을 살아가는 데 어려움이 많았다. 세상은 내게 뜨겁거나 차갑거나 둘 중에 하나를 선택하라고 했다. 지금은 과감히 차가워지기로 결정했다. 뜨거운 것은 그 언젠가 식고, 차가운 것은 그 언젠가 녹아 미지근해지기 마련이다. 결국 모두 비슷한 온도를 공유하게 될 테니까, 그럼 얼음 같이 차가운 것이 낫겠다고 생각했다. 적어도 누군가 다칠 일은 없을테니까.

　나이가 들어가는 것은 삶의 온도를 결정하는 것처럼 방향과 가치관을 다듬어가는 과정이라 생각한다. 불이 될지 얼음이 될지, 식어갈지 녹아갈지. 삶을 대하는 태도를 결정하고 나아가는 일을 부지런히 해나가는 것. 그저 문자 그대로 나이를 '먹는 것'이 아닌, 자연스럽게 세월의 흐름을 느끼고 의연하게 받아들이는 자세를 갖추고 '들어가는 것'이라 생각한다.

　하나, 둘 늘어갈수록 그 무게는 배가 되고

　책임은 셈을 할 수 없을 만큼 중대해지는 것.

　지평선을 넘는 해는 뒤를 돌아보지 않는다. 그저 잔잔한 석양의 여운을 남길 뿐이다. 미련 없이 떠나는 수많은 해를 자꾸 보내다 보면 어느덧 달력은 마지막 장을 넘어 새로운 해를 맞이한다. 그러나 새해가 도래했다는 기쁨도 잠시 이내 먹먹해진다. 1살이라는 나이는 그 옛날 어린 시절의 것과는 너무도 다르다. 이제는 무서울 정도로 무거운 책임이 한 움큼 묻어 함께 짓누른다.

잘 드는 법을 모르면 그저 덜 고통스럽게 묻었으면 좋겠다. 하루하루의 무게가 더해져 결국에는 감당하지 못할 만큼 쌓이고 결국 인생의 끝자락에 다다랐을 때 그땐 그랬지 하며 웃으며 회상할 수 있도록. 눈 감는 날, 짊어졌던 책임감의 무게를 오롯이 내려놓을 수 있도록 잘 들어가기를 바라며 오늘도 하루하루 나이를 짊어지며 나아간다.

언제나 처음과 같을 수는 없겠지만

시작의 설렘, 떨림, 걱정과 고민 같은 것들이 지나고 보면 그저 한 장의 사진 같은 추억으로 남는다. 힘들 때마다 꺼내어 보며 추억하며 스스로 위로하고 안아주며 또 버티고 나아간다. 그러나 그 당시에는 견디기 어려울 만큼 고통스럽기도 하다. 감당하지 못할 시련 속에서 무너지기도 하고 합리화를 하며 잠깐 쉬어가기도 한다. 그럴 때 처음의 모습을 떠올리며 힘을 내기도 하고 각오를 새로이 다지기도 하며 강해진다.

혹, 다시 기억하고 싶지 않은 순간일지라도 그것은 지금, 그리고 더 나아갈 나에게 큰 자양분이 되었을 것이라 믿는다. 비록 언제나 처음과 같을 수는 없겠지만 그때의 마음을 지녔던 나는 변함없이 노력하고 최선을 다하고 있다는 것, 한결같이 잘하고 있다는 것을 기억하며 또 한 장씩 사진을 남긴다.

좋아하는 일을

더 이상 좋아하지 않게 되었을 때

좋아하는 일을 더 이상 좋아하지 않게 되었을 때 느꼈던 좌절감을 잊을 수가 없다. 험난한 현실의 수풀을 헤치고 나아가는 동안 나아가는 방향만큼은 틀리지 않다고 생각했다. 넘어지고 부딪히며 생채기가 나도 좋아하는 일이니까 견디며 걸었다. 그러나 내게 몇 남지 않은 좋아하는 일이, 어느 순간 지겹고 성가신 일이 되었을 때 나는 기함했다. 더 이상 가벼운 상처 조차 잘 낫지 않았고 곪고 흉이 졌다. 그러다 결국 자주 경로를 이탈했다. 그동안 옳은 길이라고 굳게 믿고 걷던 길에서 벗어나는 일은 불안을 키운다. 길을 잃고 우두커니 낯선 길 위에 멈춰 선다. 고독하고 외롭고 우울하고 슬프다.

글쓰기가 나에게는 그러했다. 가장 힘들 때 위로가 되어 준 것이 바로 글이었다. 그러나 마음을 툭 던지는 식의 날것 그대로의 글쓰기는 이내 바닥이 났다. 실력 없이 쓰는 글들은 나를 더욱 깊은 골짜기로 몰아 넣었다. 책 읽기를 싫어했던 내가 글을 쓴다는 것 자체가 사실 모순이었다. 책을 사 모으기 시작했다. 당장은 읽지 못하더라도 제목이 좋아서 사기도 하고, 잠깐 펴 본 페이지의 내용이 마음에 들어서 사기도 했다. 그러다 보니 어느덧 책장에는 읽지 못한 책이 늘어갔다. 가득 찬 책장을 바라보며 괜스레 더욱 책과 가까워 지는 기분을 느끼고는 했다. 그러나 그럴수록 마음은 더욱 공허해졌다. 가득 채운 책장과는 반대로 마음의 장은 채우지를 못했다. 그렇게 글쓰기를 한참 쉬었다.

그러다 결국 다시 돌고 돌아 다시 예전의 경로로 돌아왔다. 다시 펜을 잡고 글을 쓴다. 부끄러움은 나를 숨 쉬게 했고 자꾸 움직이게 했다. 좋아하는 작가님의 책을 꺼내 읽는다. 그동안 사놓고 고이 진열만 해두었던 책들도 하나둘 꺼내어 읽는다. 읽을수록 나의 무지를 실감하며 깊이 반성한다. 다시 험난한 길을 걷고 넘어지고 상처를 남기며 부족함을 채워나간다.

이제는 글쓰기를 포기할 수가 없다. 좋아하는 일을 더욱 잘 해내고 싶은 마음이 크고 더는 좋아하는 것을 그만 미루고 싶기 때문이다. 좋아하는 글쓰기와 함께 살아내는 동안 더욱 배우고 느끼며 내일을 향해 나아가고 싶다.

삶을 관통하는 것들

어느 날, 어느 시점인지 모르겠지만 내 삶의 한 파편으로 남아 있는 것들이 있다. 처음 이 세상에 나와 울음을 터트린 생에 첫날의 감격스러움이나 불에 데 화상을 입고 나서야 알게 되는 불의 위험성과 같이, 내 기억 저편 무의식의 공간에 어지럽게 산개해 있는, 지금의 나를 형성하고 내 삶을 관통하는 것들. 구태여 꺼내지 않아도 자연스레 나를 지탱하는 삶의 조각들. 나를 무너뜨리기도 하고 살아가게 하기도 하는 작은 파편들.

가끔 찾아오는 공허는 어쩌면 날 관통해버린 것들이
지나간 자리일까. 그렇다면 그 빈 공간은 또 어떤 파
편들이 채워질까. 내 삶을 관통했다면 그것은 나에
대한 끊임없는 물음에 대한 조금의 해답은 될 수 있
을까.

그 언젠가 해답이 관통할 자리를 질문으로 채워
놓으며 괜스레 비어버린 마음의 빈자리를 어루만진
다.

태도에 관하여

태도에 대한 이야기는 진부하더라도 늘 곱씹는다. 삶을 대하는 태도는 언제나 진지하고도 심오한숙제다. 사는 동안 수없이 마음속으로 되뇌는 질문들과 답. 그중 가장 중요하게 생각하는 것이 바로 삶을 대하는 태도이다.

어떤 일이든 그것을 대하는 마음가짐이 중요하다. 손에 쥔 쓰레기를 땅바닥에 버릴 것인지, 어려움에 처한 동료를 기꺼이 도울 것인지 등에 대한 일은 삶을 대하는 태도를 엿볼 수 있는 작은 힌트가 된다. 정답은 없다. 매 순간 상황은 다르고 그때마다 최선의 선택을 해나가는 것뿐. 그것을 꼭 태도와 연관 지을 수만은 없다.

같은 일을 대할 때 자세와 마음을 고쳐잡을 수 있게 해주는 힘은 삶을 대하는 태도에서 비롯한다. 쓰레기를 버려야 할 때는 차라리 주머니에 넣는다. 어려움에 처한 동료를 가능한 선에서 돕는다. 작지만 확고한 태도가 나를 움직이게 한다.

삶의 태도를 자주 고쳐 잡는다. 반복해서 고치고 다듬는다. 확고한 가치관을 바로 세우고 그것에 맞게 행동을 유연하게 바로잡아 행한다. 스스로 자주 검열하고 반성한다. 진지하게 삶을 대하는 태도를 갖추어 나가며 삶의 매 순간에 충실히 하고자 한다.

그럼에도 사랑할 수밖에 없는 것들

　우리는 어쩌면 매일 소중한 것으로부터 떠나오며 살아가는 걸지도 모른다. 봄이 왔음을 알리며 잠깐 흐드러졌다가 훌쩍 떠나는 성격 급한 벚꽃처럼. 잘 지내던 사이에 불거진 사소한 오해로 얼어붙어 이내 소멸하는 관계처럼. 크고 작은 작별을 하며 떠나보내는 일에 익숙해져 간다. 그럼에도 좀처럼 익숙해지지 않는 것은 언제나 작별을 전제로 하는 아름다운 만남의 시작이다. 언제부터인가 시작이 그리 설레지만은 않는 이유가 그 때문일까.

그럼에도 나는 그것들을 사랑할 수밖에 없다. 시작이 주는 설렘을 기대하지 않고 그 언젠가 끝이 있을지는 모르겠지만 또 새로운 시작을 해나갈 수밖에 없는 것이 인생이기에.

훗날 삶을 돌아보았을 때 그 언젠가 시작을 망설였던 순간을 후회할지 모른다. 그러나 한 가지 분명한 사실은 이미 시작했다면 시작하지 않은 것 보다는 후회가 적으리라는 믿음. 그럼에도 내가 사랑할 수밖에 없는 시작들이 또 내 삶에 얼마나 펼쳐져 있을지 궁금해진다.

길 위에서

길을 걷다 보면 꽤 멀리 온 것 같은데 어느 순간 뒤돌아봤을 때 그리 대단하지 않은 길을 걸어온 것 같은 초라한 기분이 들고는 한다. 어깨를 툭 치고 날 지나치는 많은 사람 가운데 힘없이 축 늘어진 내가 불쌍하게 느껴지는 그런 날은 주변에서 건네는 응원의 말도 그리 와닿지 않는다. 보통의 위로도, 그럴듯한 조언도, 힘든 날에는 그저 흘려버리고 싶은 잔소리에 지나지 않는다. 그러나 누군가 건넨 그 말들은 수고스러움을 기꺼이 감내한 따스한 마음이었음을 깨닫는다. 나의 작은 심경의 변화를 눈치채고 그것을 그냥 지나치지 않고 나를 돌보아주었다는 사실은 나를 움직여 다시 길을 나서게 한다. 늘 그렇듯 그들이 있었기에 여기까지 올 수 있었고 먼 길을 홀로 걸어오지 않았다는 사실을 기억한다.

다시 힘을 내 한 발 내디딘다. 이 길이 어딜 향할지는 모르겠으나 누구와 함께 걷고 있는지는 아니까. 나 또한 누군가에게 길을 함께 걸어주는 동반자가 되어 주고 있을까. 부지런히 걸어가는 이 길 위에 나는 그 누군가에게 작은 그루터기였나. 큰 가지를 뻗은 나무 그늘이었나. 혹 누군가의 걸림돌은 아니었을지. 또 괜스레 걱정스러운 마음이 든다.

나는
든든한 존재가

나에게 가장
피어주기로 한다

3부

잘 살고 싶어졌다

약하고 강한 것

세상에는 다양한 기준이 존재한다. 가령 동물과 식물 같은, 비교적 그 구분이 쉽게 되는 것도 있고 사랑이나 행복과 같은 명쾌하게 설명하기 힘든 추상적인 것들도 있다. 그 중, 그 누구도 쉽게 규정할 수 없는 것이 있다. 그것은 바로 인간의 약함과 강함에 대한 것. 약하고 강한 것이 대체 무엇인가. 약한 사람은 누구인가. 강한 사람과 약한 사람은 도대체 어떻게, 누가 나눌 수가 있을까.

스스로 마음이 약하다고 생각할 수밖에 없는 이들은 대체 왜 그렇게 느끼는 걸까. 이들은 남의 눈치를 자주 보느라 자신을 챙기지 못하고 방치하며 항상 남을 먼저 배려하고 자신의 마음을 돌보지 못한다. 타인을 위하는 마음이 자신을 돌보는 것보다 더욱 커서 가끔은 손해를 보기도 한다. 이 같은 상황에서 이들은 자신이 약하기 때문에 그런 것이라고 착각하기 쉽다. 그런데 사실은, 바로 그런 남을 위한 마음이 당신이 많은 이의 본보기가 될 만큼 강한 사람이라는 증거이다. 결국 약하고 강한 것은 그 기준을 어디에 두느냐에 따라 달라진다.

약하고 강한 것은 과연 누가 정하는가. 아직 눈치채지 못했을 뿐, 당신은 충분히 강하다. 타인을 향한 예쁜 마음을 가진 당신은 절대 약하지 않다. 당신은 당신이 생각하는 것 보다 훨씬 강한 사람이다. 그 예쁜 마음을 고이 간직했으면 한다.

스스로 껴안아 주는 마음

삶은 계속해서 나에게 숨이 턱 막힐 만큼의 과제를 던지곤 한다. 눈 앞에 펼쳐진 어려운 문제들을 하나둘 해결해나가는 동안 숨은 턱 끝까지 차올라 숨쉬기가 어려워진다. 삶을 지속할수록 점점 체력이 달린다. 숨이 더욱 가빠지고 금세 지친다. 마음도 많이 지쳐있는 것을 느낀다. 나이가 들면서 운동을 게을리하면 체력이 달리는 것을 체감하듯, 평소 잘 다듬지 못한 마음은 금세 소모되어 방전된다. 삶의 과제들에 짓눌려 더욱 숨이 막힌다. 이 가운데 나는 언제나 그랬듯 소중한 이들의 도움으로 다시 나아갈 힘을 얻고 툭 털고 일어나고는 한다. 인생이란 혼자 살아갈 수 없다는 것을 잘 알게 해주는 고마운 사람들. 나의 곁에는 늘 버팀목이 되어주는 이들이 있었다. 나는 참 운이 좋은 사람이다.

그러나 늘 누군가의 도움을 기다릴 수만은 없다. 결국에는 스스로 이겨내고 극복하는 연습이 필요하다. 나를 사랑하고 아끼며 다독이는 일에 소홀하지 않으며, 이리저리 흔들리지 않게 중심을 잘 잡아야 한다. 그렇지 않으면 쉽게 망가져 버릴 마음을 잘 알기에 평소 준비를 잘해두어야 한다. 가령 자신감을 잃고 중요한 일을 맡게 되었을 때, 애써 내가 최고라고 말해준다. 사소한 일에 싫증 내지 않고 잘 해내었을 때, 작은 일에도 행복을 찾는 모습을 마주했을 때, 주변을 돌아보고 나 이외의 사람들에게 도움이 되는 것을 발견했을 때도 자신에게 칭찬을 아끼지 않는다. 소소하지만 확실하게 나를 사랑할 수 있는 일들은 어디에나 있다.

이처럼 마음을 잘 가다듬고 잘 정돈하는 것은 내 삶을 스스로 이끌어 가는 데 중요한 역할을 한다. 잘 정돈된 마음은 언제나 힘이 있다고 믿는다. 스스로 껴안아 주는 따스한 마음으로 삶이 던지는 과제들을 천천히 해결하고 자신을 일으켜 나아갈 수 있을 것이라고 확신한다.

차분하지 못한 일상에서 정갈하게 마음을 정돈하는 일은, 불현듯 갑작스레 쏟아지는 소나기를 피할 수 있는 우산이 되어준다. 그러나 종종 소나기는 장마가 되어 일상을 적시기도 한다. 그런 장마에 대비하기 위해 오늘도 정성스럽게 글을 쓴다. 흔들리는 마음을 바로잡고 아득해지는 정신을 가다듬기 위해서. 비록 유려한 글솜씨는 없어도 찌그러진 마음을 곱게 펴 종이에 바른다. 감정을 잔뜩 담은 펜에 진심을 묻혀 손에 힘을 쥐어 잡아본다. 불현듯 찾아올 긴 장마에 대비해 또 우산을 챙긴다. 괜스레 꼭 품에 안아본다.

그것이 사랑일지도

좋은 관계란 서로의 온도를 잘 맞춰나가는 것이라고 생각한다. 이 온도가 서로 맞지 않는다면 서로를 다치게 할지도 모른다. 누군가는 상대의 온도가 너무 뜨거워 상처를 입기도 하고 너무 차가워 감기에 걸릴지도 모를 일이다. 어쩌면 서로 다른 온도를 품으로 안으며 맞춰가는 것이 사랑일지도 모르겠다. 관계는 마치 물과 같이 차갑게 얼었다가 녹기도 하고 끓었다가 식기도 하며 서로 같은 온도를 품는 과정일까.

서로의 온도를 잘 알지 못하는 관계의 초기에는 상대의 온도를 가늠한다. 그러나 그것은 단순 추측에 불과하기 때문에 서로를 다치게 할지도 모른다. 그래서 더욱 조심하며 천천히 상대의 온도를 알아가는 시간이 필요하다. 상대의 온도를 서둘러 나의 온도와 맞추려는 것은 배려 없는 사랑이다. 천천히 지켜봐 주며 관계의 온도를 잘 맞춰가는 것이 사랑의 시작이다.

끓는 물에 차가운 물을 붓거나 얼음에 뜨거운 물을 부어 온도를 강제로 맞추는 일방적인 방식의 사랑은 옳지 않다. 차갑게 얼어붙어 추위에 떠는 소중한 사람의 옆에서 따스한 담요를 챙겨주고, 뜨겁게 달아오른 상대의 옆에서 시원한 물 한잔을 내어주는 마음이 곧 사랑일지도. 이 글을 읽고 있는 이들은 어떤 온도를 품고 있을까. 그 온도를 누군가와 잘 맞춰가고 있을까. 어떤 사랑을 하고 있을까.

행복에 대하여

아침 출근길, 비가 내린다. 한 계절의 끝자락과 새로운 계절의 초입 사이에서 부단히도 열심히 온다. 마치 기다렸다는 듯이 세찬 바람에 이리저리 흩날리는 비 덕분에 바지와 신발이 다 젖었다. 이 와중에도 비는 바람을 타고 흩날린다. 분명 올곧게 내리던 빗방울이 바람을 타고 흩날린다. 어쩌면 행복도 이처럼 이리저리 흔들리는 것은 아닐까 문득 생각이 든다.

바다를 떠올리면 매번 다른 기억이 떠오른다. 햇살이 좋았던 바닷가, 함께 했던 사람, 먹었던 맛있는 것들. 이 모두가 나에게는 '바다'인 것이다. 행복을 떠올리면 빗방울과 바다를 떠올리는 일과 같이 다양한 기억들이 필름처럼 스쳐 지나간다. 불행한 일들이 미화되기도 하고, 작은 기억도 큰 감동으로 다가오기도 한다. 흩날리며 내리는 비와, 늘 다른 기억으로 남은 바다처럼. 어쩌면 행복은 내가 느끼고 생각하는 것에 따라 달라지는 것은 아닐까.

행복은 어쩌면 지금,

이 순간에도 흩날리고 있을지도 모른다.

좋아하는 계절

돌고 돌아 결국 다시 돌아오는 계절은 그 시절의 향취를 머금고 옵니다. 좋아했던 계절이 돌아오기를, 그 향을 다시 추억하고 코끝에 닿을 감정을 다시 느끼기를 애타게 기다리며 또 한 계절을 흘려보냅니다.

저는 겨울을 참 좋아해요. 특유의 냄새가 있어요. 찡한 코끝으로 스며드는 그 차가운 공기의 향은 추운 날씨에도 불구하고 따스하게 느껴지기도 합니다.

거기다 어디를 가도 울리는 캐럴과 따뜻하게 곳곳을 밝히는 조명들. 춥다는 핑계로 찰싹 붙어 다니는 연인들과 꽉 찬 거리를 웃으며 노니는 아이들까지. 겨울의 풍경은 저에겐 한 폭의 그림과도 같습니다. 그것뿐인가요. 큰 외투에 폭 들어가 거북이 마냥 목을 숨기고 손을 주머니에 넣고 거리를 거닐면, 마치 이불 속에 숨어있는 포근한 기분도 듭니다. 집에 오면 따스한 이부자리에 뛰어들어 귤을 정성스럽게 까서 먹고는 합니다. 이렇게 겨울은 저에게 소소한 행복들을 느끼게 해주는 계절이랍니다.

많은 날이 가고 다시 좋아하는 계절이 돌아오는 것은 아직 추억해야 할 것들이 많다는 것이겠지요. 기대하고 기다리는 것이 있다는 것은 아직 살아야 할 이유가 있다는 것이기도 하고요. 또 다가올 겨울을 기다리며 차분히 다른 계절들을 고이 접어 보냅니다.

여러분의 좋아하는 계절은 어떠한가요?

욕심

　당연히 다 가질 수 없음을 잘 알면서도 욕심은 기어코 욕망의 틈바구니를 뚫고 고개를 불쑥 내민다. 늙어갈수록 무르익으면 좋으련만 욕심은 철이 없다. 포기할 것과 가지고 갈 것. 잡아야 할 것과 놓아야 할 것. 보아야 할 것과 눈 감아야 할 것. 욕심의 굴레를 벗어나 놓음으로 가질 수 있는 것들에 더 애정을 쏟을 수 있기를. 삶에 더 애착을, 욕심을 가질 수 있기를.

용기 낼 작은 마음들에게

　이 땅에 태어난 후 겪게 되는 수없이 많은 선택의 순간에, 삶을 주체적으로 살기 위한 선택을 위해서는 두려움을 이겨낼 용기가 필요하다. 용기는 평소에는 두려움에 숨어 보이지 않다가 꼭 필요한 순간에 나타나곤 한다. 겹겹이 쌓인 두려움의 벽을 뚫고 나온 용기가 때로는 나를 살게 하기도 하고 한 걸음 더 나아갈 힘을 주기도 한다.

　중요한 것은, 용기 낼 나를 응원해주는 것이다.

주체적인 선택을 위한 용기를 내는 것도 결국에는 나 자신이기에 두려움에 떠는 나를 채근할 필요가 없다. 천천히 용기를 낼 수 있게 기다려 준다면 주체적인 삶을 살아갈 채비를 스스로 하게 될 것이다. 두려움에 쌓인 용기를 당당히 꺼내 보이며 후회 없는 선택을 해나갈 수 있을 것이다.

야속하게도, 뜻대로 흘러가지 않는 삶은 마음을 부수고 깬다. 온전치 못한 마음은 이내 고장 나곤 한다. 그러나 삶의 주인인 내가, 삶에 이끌려 '살아내는 것'이 아닌 주체적으로 삶을 '살아가는 것'이라면 마음은 금세 단단해지고 제 모습을 찾아갈 거라고 믿는다.

살 것인가, 살아낼 것인가.

언제나 용기 낼 작은 마음들을 늘 응원하겠다.

비교의 씨앗

자주 단순한 대화가 어렵다. 그저 안부를 주고받고 웃으며 대화하는 일이 참 버겁게 느껴진다. 또 자주 전화를 받는 일이 어렵다. 예측할 수 없는 상황이 오면 식은땀이 나고 말이 헛나오기도 한다. 때로는 문밖을 나서는 일이 그렇게 힘들기도 하다. 이런 견디기 힘든 상황에는 우울한 마음이 깊어지고 어딘가 도망치고 싶어진다.

비교의 씨앗이 우울을 양분 삼아 싹을 틔운다. 우

울한 어둠의 가운데 외로이 틔운 싹은 더욱더 자라나 결국 마음을 잠식하고 울창한 수풀을 이룬다. 현실이 마음에 들지 않고 너무나 괴로워 도망가고 싶을수록 타인과의 비교가 는다. 현실적으로 다가가기 어려운 대상을 골라 하나둘 따져보며 나와 다른 것들을 찾는다. 부정적인 영향을 받는 것을 잘 알면서도 마음처럼 잘 되지 않는다. 반복되는 자책과 자신을 책망하는 마음이 다시 나를 깊은 곳으로 침잠하게 한다. 여전히 똑같은 현실에 좌절하며 결국 다시 마음을 닫고는 한다.

　그러나 나는 안다. 지금 나는 많이 힘들다는 것을. 나를 잘 돌보아야 하는 때인 것이다. 있는 그대로의 모습을 바라봐주고 인정해주어야 한다. 객관적인 시선으로 바라보며 결코 잘못되거나 틀리지 않았다는 사실을 잘 알려주어야 한다. 그저 잠시 우울한 것뿐이라고, 기분이 조금 가라앉은 것뿐이라고 반복해서 스스로에게 알려준다. 잠깐 쉬어가자고, 멈추고 나에게 집중해주자고 다독인다. 어려울 때는 주변의 도움을 받기도 한다. 상담을 받으러 가기도 하고 병원을 방문하기도 한다. 약을 먹고 대화를 나누며 내 마음을 한 번 더 들여다본다.

비교의 대상은 남이 아니라 내 어제가 되어야 한다는 것을 기억하며 나를 다독인다. 내일을 위해 어제와 오늘을 비교하자고. 그렇게 차츰 다시 온전히 내가 되어간다.

경계에 서서

자주 좋아하는 일과 해야만 하는 일의 경계에 서서 망설이곤 한다. 한 치 앞을 예상할 수 없는 삶의 다양한 갈레 길에서 망설이다 보면 한때 좋아하고 사랑했던 곳은 수풀이 무성한 정글이 되기도 하고, 절대 가지 않을 것 같았던 곳을 새로 발견하고 나아가기도 한다. 그런 순간들 속에서 좋아하는 일과 해야만 하는 일의 균형을 잘 맞춰왔는지 생각해본다. 해야만 하는 일을 견디며 하고 싶은 일을 너무 미뤄왔던 것은 아닌지, 좋아하는 일에 너무 매몰되어서

해야만 하는 일을 소홀히 하진 않았는지 자신을 돌아본다. 생계를 유지하기 위해 해야만 했던 일은 나를 병들게 했고, 도망치는 마음으로 좋아하는 일을 좇다 보니 생계가 위태로워진다. 방황의 시간이 길어질수록 경계는 더욱 뚜렷해지고 골이 깊어진다.

경계에 서 있을지라도 그 균형이 잘 이루어진다면 삶은 더욱 윤택해질 것이라고 믿는다. 좋아한다고 해서 다 할 수 없고, 해야만 한다고 해서 참아야만 하는 것도 아니다. 때로는 정해진 방향을 바꾸어 지름길로 향해보고 수풀을 헤치고 정글 속을 탐험할 수도 있는 것이다. 그러다 어느 날, 좋아하는 일이 해야만 하는 일이 되기도 하고, 해야만 하는 일이 좋아지기도 하는 마음이 들지도 모른다. 바로 이런 경험들이 훗날 내 삶의 방향을 다양하게 제시해줄 것이라고 믿는다. 또 지겹게 반복되는 일상에서 자꾸 나를 돌아보고 나아가야 할 길을 잘 선택하고 경계에서 방황하지 않도록 균형을 맞출 수 있도록 도와

줄 것이다.

점점 좋아하는 일이 해야만 하는 일이 되어가는 것 같다. 잘하고 싶은 일이기도 하고 더 잘 해내야 하는 일이 되어가기도 한다. 쓰는 일이 나에겐 그렇다. 도망치는 마음으로 시작했으나 이제는 더욱 삶의 중심으로 파고들게 한다. 삶의 바깥을 향했던 발걸음이 이제는 다시 내면 깊숙한 곳의 물음으로 향한다.

앞으로도 더욱 좋아하는 일과 해야만 하는 일의 경계에 서성일 것이다. 그러나 나는 또 균형을 잘 맞춰갈 것이며 삶의 바깥과 중심을 오가며 충분히 방황할 것이다. 그럼에도 결국에는 끈질기게 삶을 지속하며 조금씩 나아가면서.

별것 아닌

가끔 힘든 일을 겪고 난 후 뒤돌아보며 그땐 그랬지 하고 추억하고는 한다. 당시엔 너무 힘들고 가혹한 시간이었는데 지나고 보니 또 버틸 만했던 것 같다. 그리 큰일도 아닌데 괜히 유난 떨었나 싶어 머쓱해진다.

그렇다고 그게 덜 고통스러웠다는 의미는 아니다. 그때의 나는, 당시의 내가 딱 견뎌낼 수 있는 만큼의 고통만을 감내했던 것이다. 관계, 시험, 가족,

친구, 면접, 취업, 학업 등 많은 것들이 매 순간 안 힘든 순간은 없었던 것 같다. 어찌 보면 나에겐 모든 것이 도전이었고 모든 일이 고난과 역경이었다. 그런 과정에서 분명 많은 것을 깨닫고 그만큼 또 잃어갔을 것이다.

당시를 떠올리며 별것 아닌 듯 추억할 수 있는 것은 그때의 내가 잘 버텨주었기 때문이다. 그때 보다 훨씬 삶의 경험이 많은 지금의 나에게 단순한 일에 불과할지라도 그 당시에는 아주 큰 사건이었을 것이다. 지나고 나서 별일 아니라고 해서 그냥 별일이 아닌 일이 되는 것은 아니다. 지금의 나는 미래의 내가 별것 아닌 일을 겪고 이겨나가고 있다.

이 세상에 별것 아닌 일은 없다. 그저 지금의 일이 나에게 어떤 의미를 주는가, 어떤 고통을 감내해야 하는가, 어떤 도움이 되는가 하는 것들을 감사히, 겸허히 받아들이며 훗날 '별것 아니네' 하며 웃을 날을 위해 현재를 또 충실히 살아갈 뿐이다.

꺼져가는 작은 불꽃이라도

우리는 더 이상 빛 없이 살아갈 수 있을까.

깊은 우울에 침잠할 때는 환했던 마음의 방에 빛이 사라지고 깊은 어둠이 잠식한다. 방 한가운데 작은 초 하나만이 겨우 방을 희미하게 밝힐 뿐이다. 그런 불씨조차 가만히 두고 볼 수 없다는 듯이 마음의 창으로 거센 바람이 분다. 애처로운 양초의 불은 이리저리 휘청이며 금방이라도 꺼질 듯 불안하다. 우울의 방에는 희망의 작은 불씨조차 용납할 수 없나 보다. 그런데 그때 누군가 그 불씨를 지키려 손을 모으고 불씨를 감싼다. 거센 바람을 등지고 막아선다. 작은 불씨라도 살려보려고 부단히도 애쓴다. 자꾸만 성냥을 켜고 불씨에 가져다 댄다. 금방이라도 꺼져 소멸할 것 같던 희미한 불씨가 어느샌가 조금씩 타오른다. 이내 불씨는 살아나고 방은 서서히 밝아진다. 빛은 금세 방 전체로 번져 주변을 밝히고 방 안은 밝은 빛이 드리운다.

깜깜한 어둠 속 한 줄기 빛은 구원이자 희망이다. 암울한 시기일수록 그 빛은 더욱 밝고 영롱하다. 나는 늘 그랬던 것처럼 또 누군가의 숭고한 희생으로 마음의 방을 밝히고 우울을 걷어낸다. 깊게 침잠해 더 깊은 어둠 속으로 도망쳐도 더욱 깊게 날 따라 들어와 불씨를 지켜주는 사람이 곁에 있다는 것은 축복이다. 그의 희생과 노력은 결국 나의 방에 꺼져가는 불을 다시 살리고 그 빛은 또 다른 이의 방으로 번진다. 더욱 넓게 번져간다. 캄캄한 방에 작은

초 켜둔 다른 사람들에게로 빛이 옮겨간다. 또 누군
가에게 받은 희생과 사랑을 다른 이에게 전한다. 따
스한 온기를 나누고 빛을 나눈다. 나의 마음이, 나의
글이 또 누군가에게 가닿아 마음의 불씨를 살릴 수
있기를 간절히 바란다.

사랑해 마지않는 여름이었다

제 아무리 무더운 여름이었어도 사랑해 마지않
는 여름이었다. 그 어떤 계절에도 느끼지 못 했던 따
스하고 보드라운 사람들의 품에서 그 온기 온몸으로
느낀 8월은 그 어느 때보다 시원했다. 많은 것들이
나를 쓰러지지 않게 잡아주었고 엇나가지 않게 다독
여 주었다. 어느덧 선선한 바람이 자꾸만 여름을 걷
어내고 있지만 아직은 여름을 보내기가 아쉬운 8월
의 마지막 밤.

다정함의 총량

　나의 다정함에는 총량이 있다. 배터리가 방전된 것처럼 축 늘어진 날에는 다정함을 발휘하기가 힘들다. 정성스럽게 준비한 말도 다정함이 방전된 후에는 모나고 못난 형태로 툭 튀어나오곤 한다. 분명히 그럴 의도가 아니었는데 막을 새도 없다. 다정한 사람이 되고 싶었으나 그런 사람과는 거리가 있는 것만 같다.

　내가 보아 온 다정한 사람은 어떤 상황에서도 그

다정함을 놓지 않는다. 많은 이들이 힘든 상황에서 그 능력은 더욱 빛난다. 온기를 품은 다정한 말이 분위기를 따스하게 만든다. 결국 다정함이 밝힌 공간의 사람들은 마음의 어둠을 걷어내고 힘을 얻기도 한다.

그러나 그들에게도 다정함의 총량이 존재한다고 믿는다. 단지 그들은 나와는 다르게 참을성이 많다는 것. 설령 다정함이 방전되더라도 타인을 위해 그들의 마음의 진열장에 잘 준비해두었던 예비 다정함을 꺼내어 낸다. 설령 완전히 방전되더라도 그들은 또 다른 다정함의 에너지를 생산해낸다. 그들의 다정함에는 한계가 없다.

나는 그들의 다정함을 애정한다. 한때는 그들의 다정함을 흠모하기도 했다. 내가 가지지 못한 것을 가진 것에 대한 질투였다. 나의 투박한 친절이 그들처럼 조금 더 다정할 수 있다면 얼마나 좋을까 생각했다. 그러나 이내 쓸데없는 생각은 내려놓았다. 나의 다정함에는 총량이 분명히 존재하기 때문이다.

우울하고 불안한 나날들 속에서 다정함의 자꾸만 닳고 있지만 그래도 틈틈이 채워두려고 하는 편이다. 바쁜 일상에서 가끔 다정함 없는 말이 툭 나오기도 하지만 그 언젠가 나에게 다가오는 사람들에게 나누어주기 위해서 다정한 나날이 될 수 있도록 늘 준비해두려고 한다.

보통의 삶

가장 보통의 삶을 사는 한 사람이라고 자부하며 살았는데 보통이 대체 뭘까. 어쩌면 '보통'이라는 단단한 방어막을 세우며 웅크리며 숨어있는 한 비겁한 인간일 뿐. 보통이라는 기준을 세워놓고는 또 제멋대로 상황과 시기에 맞춰 이리저리 제 입맛대로 바꿔 대입시켜왔던 건 아닐까.

사실 '가장 보통'이라는 표현 자체로 모순이다. 보통이면 보통이지 '가장' 보통은 사실은 나의 바람이 묻어난 표현이 아닐까. 사실은 그저 '평범'하기를 바랐던 걸지도 모르겠다. 물론 평범도 기준을 세우기 나름이겠지만 내가 세운 기준에서 이상한 사람이 되지 않기를 바랐던 것 같다. 결국 이런 기준을 세우고 나 이외의 사람들을 '이상'한 사람으로 생각하고는 했다. 나와 다른 것뿐인데도 얼마나 큰 잘못을 저질러 왔나. 그저 다르다는 이유로 손가락질하고 질타했으며 외면해왔다. 얼마나 나는 비정상이었나. 보통의 세상에서 얼마나 보통이 아닌 인간이었나. 괜스레 자세를 고쳐 앉는다. 다시 정신을 가다듬고 반성하고 되돌아본다. 한꺼번에 몰려드는 부끄러움으로 얼굴을 들 수가 없다.

이제는 그 대상을 다른 누구도 아닌 '나'에게 두려고 한다. 다른 실수를 저지르지 않기 위해 자꾸만 검열하고 태도를 고쳐낸다. 아니, 실수해도 괜찮다. 다만, 아직 바로잡을 기회가 남았다면 인정하고 다시 반복하지 않도록 하면 된다. 내 실수로 인해 마음 졸였을 누군가에게 진심 어린 사과를 하고, 다시

는 반복하지 않도록 다짐하여야 한다. 실수를 겸허
히 받아들이고 바로잡으며 또 한 뼘 성장한다. 마음
의 크기를 키우고 굳은 마음을 유연하게 해야 한다.

이미 스쳐 지나 온 과거에 저지른 잘못은 자꾸만
무거운 짐이 되어 어깨를 짓누르고는 한다. 그러나
삶은 완벽할 수 없고 또 실수를 저지르게 될지도 모
른다. 그럴 때 실수를 바로잡고 고쳐내는 보통의 노
력을 하고자 한다. 실수투성이인 나를 응원하며 도
망치지 않고 더 나은 사람이 되려 노력해나간다면
실수에 흔들리지 않고 쉽게 무너지지 않을 용기를
내 보통의 삶을 살아갈 수 있다고 믿는다.

시기와 질투가 꽃을 피웠을 때

시기와 질투가 꽃을 피웠을 때가 있다. 나의 부족함을 타인의 실패로부터 위안 삼아 비겁하게 성취의 싹을 틔웠고 비난의 대상은 내가 아닌 외부의 환경 탓으로 돌리며 물을 주었으며 스스로에게 달콤하고 매력적인 칭찬의 햇빛을 쐬어주었다. 결국 그럴듯한 열매를 맺었지만, 그것은 그리 아름답지만은 않았고 좋은 향을 풍기지 않았다.

유난히 힘들었던 시기에 잠깐 방황하며 그런 올

곧지 못 한마음으로 누군가를 시기하고 질투했고 때로는 누군가를 낮춰 바라보기도 했으며 내 잘못을 타인에게 전가하여 위안 삼기도 했다. 사실은 모든 것은 나의 기준으로, 나로 인해 발현되어야 한다는 것을 잘 알고 있음에도. 부족함을 이겨내는 용기도, 비난을 마땅히 이겨낼 단단한 마음도, 다 내 안의 흙에서 싹을 틔우고 길러내야 한다는 것을 통감하면서도 힘든 시기이니까 괜찮을 거라고 핑계 대며 불편한 마음을 품고는 했다.

이제는 비겁한 마음이 피어오를 때마다 글을 쓴다. 스스로 검열하고 단속하며 비겁함의 땅속에서 나를 꺼내어 정직의 땅으로 옮겨 심는다. 부족함은 있는 그대로 받아들이고 실패에서 비롯한 경험을 양분 삼아 싹을 틔우려고 한다. 모든 비난은 겸허히 받아들이고 고칠 점을 찾고 더 나은 방향으로 나아가기 위한 고민을 한다.

훗날, 이 정직의 땅에서 틔울 싹이 아름다운 꽃을 피워 좋은 향을 품고 당당히 열매를 맺어낼 수 있는지는 모르겠지만, 그래도 자꾸만 나를 돌아보며 오늘도 부지런히 땅을 고르고 새로운 씨앗을 심어본다.

시기와 질투는 어제의 나로부터,

성취는 오늘의 나로 인해,

칭찬은 내일의 나를 위해서.

우주와 사랑

　우리는 고유의 광활한 우주를 만들며 살아간다. 제각각 다른 모양의 별과 행성이 우주를 부유하는 동안 수많은 결들이 뒤엉킨다. 폭발하고 생성되기를 반복하며 결들은 각자의 방식과 모양으로 다듬어지고 형성된다. 아주 커다란 하나의 우주는 마치 외계행성의 누군가를 만나는 것처럼, 갑작스럽게 다른 우주를 맞이한다. 그렇게 한 우주와 다른 우주가 만나 새로운 또 다른 결을 만들고 다듬어간다.

또 하나의 광활한 우주에 새로운 행성과 별을 띄우고 결을 다듬고 예쁜 이름을 붙이는 경이로움. 아름답지만 고통스럽기도 한 두 우주의 충돌. 산산이 부서져 산개할 운명일지라도 우주는 부딪히고 합치기를 쉬지 않는다. 한 광활한 우주와 다른 우주와의 결이 만나 이루는 또 하나의 우주.

아, 사랑은 각자의 우주를 떠돌다가 서로 만나 하나의 결을 이루고 별을 띄어 하나하나 예쁜 이름 붙이고 또 다른 우주를 함께 만들어 손잡고 부유하는 걸까.

산타할아버지

어릴 적, 연말이 되면 얼른 성탄절이 되어 산타할아버지가 오기만을 목놓아 기다렸다. 평소 갖고 싶었던 장난감을 부모님께 슬쩍 말씀드리면 산타할아버지께서는 그것을 눈치채고는 원하는 선물을 주시고는 했다. 그러나 어느 시점부터 할아버지는 오지 않으셨다. 많이 울었던 탓일까, 많이 바쁘셨던 것일까. 그것도 아니라면 사실은 산타할아버지는 어쩌면 존재하지 않는 걸까. 그 당시에도, 사실은 아직도, 할아버지가 참 그립다.

한때는 가슴 절절했던 첫사랑이 끝 사랑이 되기

를 간절히 바라기도 했다. 마음을 쏟아부어 사랑을 이어 나가고 싶었고 전력을 다해 끝을 내고야 말겠다고 생각했다. 하지만 첫사랑은, 내 마음이 처음으로 사랑을 시작하는 것을 의미했다. 그것이 사랑의 마지막을 뜻하는 것은 아니었다. 시작하자마자 끝이 날 수가 없는 것이다. 처음 사랑을 만난 마음이 끝까지 함께 할 수 있다면 좋겠지만 나는 그러지를 못했다. 그 이후, 이 세상에는 많은 종류의 사랑이 존재함을 서서히 깨달아 갔다.

그 옛날, 어린 시절에는 영원할 줄 알았던 것들이 세월이 가면서 자연스럽게 잊혀져 간다. 이 세상에 존재하는 만물이 영원할 수 있다면 어쩌면 영원이라는 단어는 존재할 필요가 없었을지도 모르겠다. 영원할 수 없기에 소중하고, 소멸하기에 더욱더 바라보아야 하는 것들 속에서 나는 또 다른 영원을 꿈꿀 수 있을까. 아니 꼭 꿈꾸지 않더라도 또 무언가 영원하기를 바랄 수 있을까. 올해 성탄절에는 산타할아버지가 오셨으면 좋겠다.

아아 주세요

　카페에 들러 음료를 주문한다. 어느 날은 메뉴 선택이 참 쉽다. 날이 더워 아이스 아메리카노, 단 게 먹고 싶어 바닐라 라테, 갈증이 나서 에이드. 주문부터 음료를 받는 순간까지 참 쉽다. 그러나 어느 날은 그게 참 어렵기도 하다. 계산대 앞에서 한참을 우물쭈물한다. 맛이, 가격이, 날씨가, 참 이유도 다양하다. 점원의 눈치에 못 이겨 마지못해 발음이 익숙한 아이스 아메리카노를 고른다. ('아아'라고 했다) 돌아서며 후회한다. 아, 라테를 시킬걸. 그러나 이내 포기하고 자리로 돌아가 앉는다.

라테를 마시며 문득, 이 작은 선택조차도 내게는 참 어려웠다는 사실에 놀란다. 살아가는 동안 수없이 많은 선택을 하며 매 순간 신중하게, 후회 없는 선택을 하기 위해 고민한다. 어떤 선택은 간단하기도 하고 또 도저히 고르기가 어려운 선택의 순간을 맞이하기도 한다. 마치 카페에서 마실 음료를 고르는 것처럼.

그런데 어떤 고민은 의외로 쉽게 해결되고는 했던 것 같다. 마치 평소 익숙하고 편안한 아이스 아메리카노를 주문하듯 빙빙 돌고 도는 고민도 평소 생각해왔던 방향으로 해결이 되기도 한다. 복잡하고 머리 아픈 선택의 순간에, 때로는 그 해답이 가까이 있을지도 모른다는 생각이 들었다. 어쩌면 많은 고민이 생각보다 간단하고 익숙한 방법으로 해결될 수도 있을지도.

커피가 생각보다 맛있다. 생각보다 만족스럽다.
어느덧 컵의 바닥이 보인다. 다음에 또 오게 될 것
같다. 또 다른 고민을 안고.

상처에 연고를 바르며

상처받아 마땅한 마음은 없다. 사랑받아 마땅한 예쁜 마음들만 있을 뿐이다. 우리는 저마다 소중하고 사랑받아야 할 가치를 지니고 있다. 길가의 예쁜 꽃을 함부로 꺾어 그의 생을 훔치면 안 되는 것처럼, 우리의 삶은 그대로의 모습을 고이 간직하여야 한다.

그러나 상처받지 않을 수는 없다. 길을 걷다가 작은 돌부리에도 넘어질 수 있는 것처럼, 사는 동안 예상치 못한 순간에 크고 작은 상처를 받게 된다. 그럴수록 마음을 잘 정돈하기 위해 글을 읽고 쓴다. 자주 스트레칭을 해준다. 유연성을 기르고 단련한다. 상처받더라도 잘 아물 수 있도록 연고를 준비한다. 이미 받은 상처는 훗날 얼마나 큰 흉터를 남길지는 모르겠지만 그래도 잘 다스리고 회복하기 위해 부드럽게 연고를 펴 바른다.

예쁘고 뭉툭하고 반짝이는 마음들

누군가를 믿는 일은 한걸음 뒤에서 보면 간단해 보이지만 가까이 다가서 보면 복잡하게 느껴진다. 멀찍이 서서 바라보면 잔잔하고 아름다운 바다였다가 가까이서 보면 매서운 파도에 압도된다. 이처럼 믿음은 바라보는 관점에 따라 간단하기도, 복잡하기도 하다. 그래서 푸르고 예쁜 바다에 끌려 누군가를 쉽게 믿기도 했다가 거센 파도에 휩쓸려 불신의 섬에 갇히기도 한다.

믿음은 강력한 힘을 가진다고 생각한다. 때로 길 잃은 누군가의 방향을 알려주는 희망의 끈이 되기도 하고, 누군가에게는 갇혀있던 방문의 열쇠가 되기도 한다. 믿음이란 것은 이처럼 큰 책임을 수반한다. 믿음을 주고받는 일에 마음을 다해야 한다. 누군가가 나를 믿고 있다면 그에 대한 책임을 느끼고, 누군가를 믿는다면 그 힘에 휩쓸리지 않도록 조심해야 한다.

그러나 믿음은 그 생이 한번 소실되기 시작하면 걷잡을 수가 없다. 모래사장에 믿음의 증표로 남긴 발자국이 거센 파도에 일순간 사라져 버리듯, 의심의 파도가 치기 시작하면 믿음은 금세 증발하고 만다. 그 관계가 깊고 무거울수록 믿음은 더욱 쉽게 깨지고 산산이 흩어진다. 그럴 때 마음은 크게 흔들린다. 파도에 함께 휩쓸려 뭉개진다. 믿음의 갑작스러운 부재가 가슴에 사무친다.

마음은 쉽게 준 만큼 쉽게 버려진다. 마음을 내어준 믿음에 곧 마음을 빼앗긴다. 그렇기에 마음을 줄 때는 신중하고 섬세하게, 받는다면 그 무거운 책임을 오롯이 질 수 있어야 한다. 날카로운 유리 조각이 파도에 휩쓸려 닳고 뭉툭해지더라도 그 아름다움은 여전하듯, 파도에 휩쓸려도 무너지지 않을 마음을 잘 보살펴야 한다.

오늘도 부디 예쁘고 뭉툭하고 반짝이는 마음들을 거센 파도로부터 잘 지켜내기를.

나만의 궤도로

나를 관통하는 많은 것 중 대부분이 무수히 많은 경로의 이탈을 겪는다. 이리저리 튀다가 결국에는 튀어 나가는 것도, 얕은 진동으로 방향을 찾아가는 것도, 안정적인 나만의 궤도로 나아가는 것도 있다. 그리하여 나의 궤도를 이루는 것들이 주위를 맴돌며 비로소 나를 만든다.

좋든 싫든 그것은 살아가는 동안 수없이 겪어내야 하는 과제와도 같다. 마치 격동의 시기를 견뎌내고 바위 틈바구니에서 피어나는 꽃과 같이, 나를 관통해 피어나는 것들은 더 강하고 뿌리 깊게 내 안에 자리할 것이다.

　피고 지는 자연스러운 일을 두려워 말고 나는 또 나만의 궤도를 잘 이루어 나가야지. 오늘도 피어날 바위틈의 꽃을 잘 가꾸어 나가야지.

어느 날 문득 잘 살고 싶어졌다

아직도 우울은 현재 진행형이다. 그 모양과 색, 향은 달라졌을지 몰라도 진득하게 들러붙어 있다. 언제부터였는지조차 아득할 만큼 지독한 동행을 하면서 그동안 나는 얼마나 많이 변했을까. 더욱 끌어안은 것도 있고, 자연스럽게 혹은 부자연스럽게 놓아버린 것도 있다. 더욱 끌어안은 것은 나 자신이었을 것이고 놓아버린 것은 나 이외의 것들일 것이다.

우울은 지독하게도 철저하게 나를 산산조각 내놓았다. 마치 차곡차곡 완성해가던 퍼즐을 뒤집어엎어 버린 것처럼, 삶의 조각들은 이리저리 흩어지고 말았다. 가끔 제 자리가 아닌 곳에 조각을 가져다 대보기도 하고 잘 맞춰가던 조각들을 이리저리 다르게 대보기도 했다. 그럼에도 그럴듯한 퍼즐을 잘 맞춰가고 있다고 생각했었다. 그러나 우울이 한순간 초기화시켜 버렸다. 한 번 엎어져 흩어져버린 퍼즐 조각들은 쉽게 다시 맞추기가 어려웠다. 마치 일부러 찾을 수 없게 얄궂게 꼭꼭 숨어 버린 것만 같다.

우울은 질투가 많아서 나 이외의 것에는 관심조차 주지 못하게 만들어 버리기도 한다. 부모님께 자주는 아니더라도 가끔 연락을 드리고는 했었는데 어느 순간 도저히 그럴 수가 없었다. 전화하는 동안은 잘 사는 척, 행복한 척, 괜찮은 척 연기를 해야 하는데 그게 잘 안되었다. 베테랑 연기자였는데 어느 순간부터는 대사가 기억이 나지를 않고 말을 더듬기 시작해 카메라 앞에 서기가 두려워 진 연기자가 된 것만 같았다. 휴대전화를 들고 그 누구와도 통화를 할 수가 없었다. 자연스럽게 가족과의 연락도 뜸해지고 어느 순간 고립되었다.

어느 순간은 사람 자체가, 인간이라는 동물 자체가 밉기도 했다. 길을 걸어도 카페에 가도 창밖을 바라봐도 그 어디를 가도 인간이 존재했다. 뭐가 그렇게 신이 나는지 깔깔 웃으며 서로 대화를 나누고 맛있는 밥을 먹고 함께 커피를 마시는 모습이 그렇게 싫었다. 나는 이렇게 우울한데 저들은 그렇지 않아보였다. 행복을 좇고 사람들과 정을 나누는 게 그렇게도 눈이 시리고 배가 아팠던 모양이다.

아직도 이런 무거운 우울은 끈질기게 나를 꽉 쥐고 흔든다. 그럼에도 나는 이 우울과 함께해야만 한다. 우울이란 것이 감기와 같아서 완치란 것이 없다. 컨디션이 좋지 않으면 감기에 걸리듯 우울에 걸려버리고 만다. 아직도 여전히 사람을 피하기도 하고 잘 맞춰가던 퍼즐을 뒤엎기도 하지만 한 가지 확실한 것은, 더 이상 이렇게 살고 싶지는 않다는 것이다.

어느 날 문득 잘 살고 싶어졌다. 아니, 잘 살지 못

하더라도 열심히는 살아보아야겠다고 생각했다. 소중한 사람과 함께 하기 위해서는 나도 그들에게 소중한 사람이 되어주어야 하므로. 내가 열심히 살지 않는다는 건 내 삶에 대한 책임을, 또 소중한 이들에 대한 나의 책임을 다하지 않는 것만 같았다. 그의 곁에 있으려면 나도 그럴 자격을 갖추어야 한다고 생각했다. 자격은 누군가 부여하는 것이 아니라 나 스스로 당당할 수 있을 때 발현된다고 믿는다.

앞으로도 이 우울과 함께 공존할 방법을 찾고 힘들어도 일단은 살아가 볼 생각이다. 아니 잘 살아가고 싶다. 혹시 모르지 않은가. 잘 살고 싶어 하면 또 어느 날 잘 살고 있을지도. 정말 그 언젠가 이 지긋지긋한 우울과 작별 인사를 할지도.

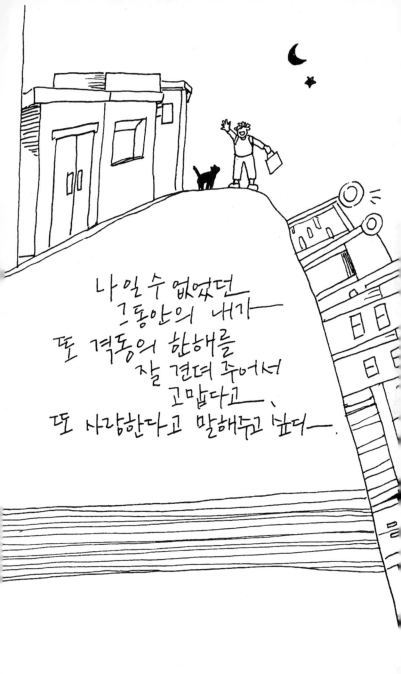

나일 수 없었던
　　그동안의　내가
또 격동의 한해를
　　잘 견뎌 주어서
　　　고맙다고——、
또 사랑한다고 말해주고 싶어——.

글을 보내며

지독하게 나를 괴롭히는 우울과 불안에도 불구하고 문득 잘 살고 싶다는 생각이 들었다. 가끔은 주저앉고 싶은 날도, 포기하고 싶은 날도 있지만 결국에는 잘 살고 싶었기 때문임을 이제는 안다. 어쩌면 그런 마음들을 이 책에 담아 내 안에서 꺼내어 내보내고 싶은 걸지도 모르겠다. 사실은 내게 절절히 하고팠던 이야기들. 그 누구에게도 털어놓지 않았던 마음들. 보이지 않는 무형의 것들을 한 번 펼쳐내 보고 싶었던 것일지도.

누가 읽어 줄지는 모른다. 다만, 누군가 기꺼이 읽어준다면 나와 당신이 살아가는 이 세계를 함께 살아가자고. 한번 잘살아 보자고 다정한 말 한마디 건네는 거로 생각해주면 좋겠다 .

엎어진 물일지라도, 그것이 적신 종이가 눅눅해지더라도 잘 말려 그 위에 다시 글을 써보려 한다. 어느 날 당신이 만날 이 글이 마음에 닿아 당신도 잘 살아보고 싶다는 생각을 함께 할 수 있다면 이 글을 정성껏 이 책에 담아 그대에게 전하고 싶다.

어느 날 문득 잘 살고 싶어졌다

초판 1쇄 발행 2022년 10월 07일
초판 2쇄 발행 2023년 08월 19일
초판 3쇄 발행 2024년 05월 31일

지은이　　　두루
편집　　　　두루　변수빈
일러스트　　변수빈

펴낸곳　　　개띠랑
출판등록　　2022년 09월 14일

인스타그램　@from.duru @gaeddirangverse
전자우편　　duruburi@naver.com
　　　　　　　gaeddirang085@naver.com

ISBN　　　　979-11-980169-4-2 (02800)